# JEJUM SEGUNDO DANIEL

**Nota:** Os jejuns sugeridos neste livro não são para todas as pessoas. Consulte seu médico antes de começar algum deles. Gestantes, diabéticos e outras pessoas com histórico médico podem adotar o jejum espiritual, e não físico, enquanto seguem dietas específicas. Embora o jejum seja saudável para muitos, a natureza de Deus jamais recomendaria um exercício que pudesse prejudicar alguém física ou emocionalmente.

Elmer L. Towns

# Jejum segundo Daniel

*Um modelo para seu crescimento espiritual*

Vida

Vida

EDITORA VIDA
Rua Isidro Tinoco, 70 Tatuapé
CEP 03316-010 São Paulo, SP
Tel.: 0 xx 11 2618 7000
Fax: 0 xx 11 2618 7030
www.editoravida.com.br



Todas as citações bíblicas e de terceiros foram adaptadas segundo o Acordo Ortográfico da Língua Portuguesa, assinado em 1990, em vigor desde janeiro de 2009.

Editor responsável: Marcelo Smargiasse
Editor-assistente: Gisele Romão da Cruz Santiago
Editor de qualidade e estilo: Sônia Freire Lula Almeida
Tradução: Celso Eronides
Revisão de tradução: Andrea Filatro
Revisão de provas: Josemar de Souza Pinto
Projeto gráfico e diagramação: Claudia Fatel Lino
Capa: Arte Peniel

**1. edição:** jul. 2012

**Dados Internacionais de Catalogação na Publicação (CIP)**
**(Câmara Brasileira do Livro, SP, Brasil)**

Towns, Elmer L.
Jejum segundo Daniel: um modelo para seu crescimento espiritual / Elmer L. Towns; [tradução Celso Eronides]. — São Paulo: Editora Vida, 2012.

Título original: *The Daniel Fast For Spiritual Breakthrough.*
ISBN 978-85-383-0239-1

1. Daniel (Personagem bíblico) 2. Jejum — Aspectos religiosos — Cristianismo I. Título.

12-03572 CDD-248.47

**Índices para catálogo sistemático:**

1. Jejum : Aspectos religiosos : Cristianismo 248.47

*Dedicado à memória de Jerry Falwell, meu pastor,*
*que me desafiou a meu primeiro dia de jejum; e a Bill Bright,*
*que me motivou a meu primeiro jejum de quarenta dias.*
*Também dedicado a David Yonggi Cho, pastor da maior*
*igreja do mundo, que me desafiou a ensinar os*
*seminaristas da Universidade de Liberty sobre o*
*jejum antes que eles ingressassem no*
*primeiro pastorado.*

# SUMÁRIO

PREFÁCIO — O impacto de um jejum segundo Daniel .......... 11

CONVITE .......... 13

SEÇÃO 1

Sobre o jejum segundo Daniel

1. O que é jejuar? .......... 17
2. O que é o jejum segundo Daniel? .......... 21
3. Por que jejuar? .......... 25
4. Por que fazer votos? .......... 27
5. Por que devo perseverar? .......... 31
6. Qual o principal foco do jejum segundo Daniel? .......... 39
7. Como posso me preparar para o jejum? .......... 41

SEÇÃO 2

Leituras diárias

PRIMEIRA SEMANA — Visão geral do 1º ao 7º dia .......... 51

1º DIA Sua oração individual no jejum .......... 52

2º DIA Juntando-se a outros no jejum .......... 57

3º DIA Compromisso diário durante o jejum .......... 64

4º DIA Orando e jejuando por um objetivo .......... 71

5º DIA Benefícios do jejum prolongado ... 79
6º DIA Dizendo não em oração ... 87
7º DIA A persistência no jejum ... 93

SEGUNDA SEMANA — Visão geral do 8º ao 14º dia ... 99
8º DIA Intimidade com Deus ... 100
9º DIA Oração de agradecimento ... 109
10º DIA Jejuando com fome de Deus ... 116
11º DIA Orar é perguntar ... 124
12º DIA Jejuando para louvar a Deus ... 135
13º DIA Jejuando para identificar pecados ... 141
14º DIA Não quebre seu jejum ... 149

TERCEIRA SEMANA — Visão geral do 15º ao 21º dia ... 155
15º DIA A oração da crucificação ... 156
16º DIA Chorando durante a oração ... 167
17º DIA Oração introspectiva ... 173
18º DIA Descansando em oração ... 181
19º DIA Oração urgente ... 188
20º DIA Oração de batalha espiritual ... 194
21º DIA Permanecendo firme ... 201

## SEÇÃO 3
## Apêndices

APÊNDICE A Nove formas de jejum apresentadas nas Escrituras ... 209
APÊNDICE B Seis modos de jejuar ... 214
APÊNDICE C Receitas para usar durante o jejum ... 217

*"O jejum que desejo não é este:*
*soltar as correntes da injustiça,*
*desatar as cordas do jugo,*
*pôr em liberdade os oprimidos*
*e romper todo jugo?*
*Não é partilhar sua comida*
*com o faminto,*
*abrigar o pobre desamparado,*
*vestir o nu que você encontrou,*
*e não recusar ajuda ao próximo?*
*Aí sim, a sua luz irromperá*
*como a alvorada,*
*e prontamente surgirá a sua cura;*
*a sua retidão irá adiante de você,*
*e a glória do* Senhor *estará*
*na sua retaguarda."*

Isaías 58.6-8

PREFÁCIO

# O impacto de um jejum segundo Daniel

Em janeiro de 1998, nossa igreja realizou o jejum com base em Daniel nas primeiras três semanas de janeiro. Havíamos iniciado essa prática alguns anos antes e começado um ciclo de colheita e multiplicação em pequenos grupos.

Foi no 15º dia desse jejum que minha esposa e eu estávamos saindo de Baton Rouge a caminho de San Antonio. Conforme dobrávamos a curva de onde se podia ver a mansão do governador, vi em meu espírito um vento que soprava em direção da porta aberta (*flashes* rápidos dessa imagem surgiram em minha mente conforme eu olhava para a mansão).

Eu disse a Melanie, minha esposa: "Creio que Deus está prestes a abrir uma porta na mansão do governador para um estudo bíblico".

Finalizamos o 21º dia do jejum em San Antonio e retornamos para Baton Rouge. Ali, em meu escritório, recebi um recado de que a secretária do governador havia telefonado. Quando retornamos, ela nos disse que uma semana antes o governador se exercitara, como fazia rotineiramente, diante de meu programa de tevê diário de 90 segundos (levado ao ar havia anos) naquela localidade. Uma voz interior disse ao governador: "Procure esse homem e peça que ele ensine a Bíblia toda a você em quatro lições".

Esse convite foi especial porque eu ainda não conhecia o governador. No dia combinado, ele se fez acompanhar de 15 pessoas de seu alto escalão. Apresentei a Bíblia em quatro lições: "a Criação", "o povo escolhido", "Cristo" e "a igreja". No final do mês, o governador pediu que eu prosseguisse. O estudo bíblico continuou durante todo o seu mandato e pelos quatro anos seguintes a sua reeleição! Por muitos anos, orei com o nosso grupo de jejum por milagres que cessaram tempestades, quebraram ciclos de seca em nosso estado e trouxeram uma grande ajuda para esse governador. Ele se tornou um dos governadores mais populares de nosso estado nos últimos tempos, até sua aposentadoria em 2004.

Estou convencido de que essa poderosa porta aberta veio por intermédio do poder da oração e do jejum. Até mesmo quando o próprio Daniel orou e jejuou, Deus abriu as portas para alcançar grandes autoridades e governantes. Após Paulo ter jejuado em Antioquia (v. Atos 13), Deus abriu portas para um alto oficial em Chipre, Sérgio Paulo.

Apenas o poder do jejum pode trazer um avanço a nações e governos em geral, e minha experiência com o governador do estado de Louisiana, nos Estados Unidos, é uma prova viva disso.

LARRY STOCKSTILL

Pastor titular da BethanyWorld Prayer Center

Baker, Louisiana

# CONVITE

Bem—vindo! Este livro foi escrito como um guia para seu jejum. Você lerá uma explanação sobre o motivo de tratarmos aqui do jejum segundo Daniel; por que ele ocorre em dez dias ou em vinte e um dias; o que você deve comer e quando deve disciplinar-se em um jejum.

Este livro também examinará algumas de suas experiências de orações enquanto você jejua. Talvez você tenha escolhido orar no decorrer dos dez ou vinte e um dias de seu jejum e, ao mesmo tempo, jejuar por uma oração mais específica. Você receberá diversas dicas de oração. Você aprenderá aproximar-se de Deus, adorar ao Senhor e orar por respostas específicas. Você verá o papel do choro e do arrependimento e descobrirá o que significa crucificar a si mesmo. Aprenderá alguns princípios de batalha espiritual e o que significa orar desesperadamente.

Caso este seja seu primeiro jejum, este livro o ajudará a eliminar alguns de seus medos e explicará as experiências que terá durante o jejum. Assim, leia para aumentar sua confiança na oração e ir além da ansiedade; mas, acima de tudo, leia para obter respostas às suas orações.

Conforme escrevia este livro, eu mesmo jejuei diversas vezes, em diferentes momentos, com o objetivo de que Deus me demonstrasse o que escrever e me ajudasse a preparar o texto, de maneira que você tocasse Deus enquanto o lesse e jejuasse. E, mais importante ainda, jejuei para que Deus pudesse tocar sua vida.

Escrito em minha casa, ao pé das<br>montanhas de Blue Ridge,<br>Elmer L. Towns, 2009

SEÇÃO 1

# Sobre o jejum segundo Daniel

# ❧ 1 ❧

# O que é jejuar?

Fui informado de que ninguém publicava um bom livro acerca do jejum havia cem anos; assim, quando escrevi *Jejuando para crescimento espiritual* em 1996, eu precisava de um *feedback*. Então, enviei uma cópia do manuscrito para o pastor Ron Phillips da Igreja Batista Central em Chattanooga, Tennessee. Alguns dias depois, recebi um estranho telefonema.

— Você é um cachorro — disse a voz que estava na linha.

— Quem está me chamando de cachorro? — perguntei.

— Aqui é Ron Phillips — ele respondeu com uma gargalhada.

Ron era um grande amigo. Eu já havia visitado sua igreja duas ou três vezes para fazer uma campanha de crescimento da escola dominical.

— Estou na Convenção Batista do Sul — ele continuou, explicando as palavras descontraídas. — Eu deveria estar nas reuniões… votando… e conversando com meus amigos lá embaixo nos corredores, mas estou preso neste quarto de hotel lendo seu livro. Este livro é tão bom que transformará minha vida.

Após ter finalizado a ligação, Ron me convenceu a ir a sua igreja para dar um seminário sobre os princípios do jejum. Assim combinamos uma data, e Ron enviou vários convites. Ele esperava cerca de 800 pessoas naquele dia, mas apenas 157 compareceram.

A explicação para um número tão baixo é que Ron havia pedido que os potenciais participantes jejuassem naquele dia. Muitos se assustaram por não saber como jejuar, ou nem mesmo entenderam o que Deus poderia fazer, caso jejuassem. Aquilo me convenceu de que havia uma grande necessidade de alguém escrever algo sobre jejum, fosse o livro um *best-seller* ou não.

Portanto, o que significa de fato "jejuar"?

## Definição

*Jejuar (fa:st, -æ-): Abster-se de comida, ou restringir-se a um tipo de dieta, seja por motivo religioso ou como uma expressão cerimonial de angústia; ficar sem comer; também (contextualmente) ficar sem beber; passar (tempo) jejuando; manter ou observar (um dia etc.) como um tempo de abstinência.*[1]

Deus criou o corpo humano de uma maneira que este necessita de alimento para manter-se em movimento. Para certificar-se de que essa necessidade esteja satisfeita, Deus nos criou com um desejo por alimento chamado apetite. Comer satisfaz nosso apetite e nos dá forças para realizar nossas atividades diárias. Então, por que alguém optaria pelo jejum — por ficar sem alimento durante determinado período de tempo?

Da perspectiva de Deus, a razão é simples: O jejum pode ser usado para reforçar um propósito espiritual. No Antigo Testamento, os israelitas foram advertidos de jejuar ao menos um dia por ano: "No décimo dia do sétimo mês vocês se humilharão e não poderão realizar trabalho algum" (Levítico 16.29). Esse jejum ocorria no Dia da Expiação

---

1 **Oxford English Dictionary.** s.v. "fast".

(*Yom Kippur*).[2] Nesse dia, o sumo sacerdote conduziria sacrifícios para expiar os pecados do povo. Durante a celebração, o sumo sacerdote entrava no Santo dos Santos no interior do templo — o único dia do ano em que ele tinha permissão para fazer isso. Deus queria que seu povo jejuasse naquele dia com a finalidade de rememorar a experiência da salvação. Todos jejuavam para se identificarem com o sumo sacerdote, o qual sacrificava um cordeiro por seus pecados.

Hoje, como cristãos, vivemos pela graça, portanto não temos mais a obrigação de jejuar. Entretanto, Jesus deixa bem claro em Mateus 6.16 que *podemos* jejuar por determinadas razões: "Quando jejuarem, não mostrem uma aparência triste como os hipócritas, pois eles mudam a aparência do rosto a fim de que os outros vejam que eles estão jejuando. Eu lhes digo verdadeiramente que eles já receberam sua plena recompensa". De maneira semelhante, em Mateus 9.15 ele diz: "Como podem os convidados do noivo ficar de luto enquanto o noivo está com eles? Virão dias quando o noivo lhes será tirado; então jejuarão".

Vemos também os apóstolos na igreja primitiva jejuando por um propósito espiritual: "Enquanto adoravam o Senhor e jejuavam, disse o Espírito Santo: 'Separem-me Barnabé e Saulo para a obra a que os tenho chamado'. Assim, depois de jejuar e orar, impuseram-lhes as mãos e os enviaram" (Atos 13.2,3).

Muitos que nunca jejuaram ficam aflitos diante do desafio de se absterem de alimentos. Imaginam que ficarão famintos e que a fome tornará o desafio grande demais. Pressupõem que essa será uma experiência desconfortável — provavelmente o mesmo sentimento que os membros da Igreja Batista Central sentiram quando Ron Phillips os conclamou a jejuar. Entretanto, é importante ter em mente que o jejum

---

2 O *Yom Kippur* também compreendia abster-se do preparo da comida e de sua degustação. [N. do T.]

não causará nada mais do que uma pequena perda de peso. Também não prejudicará ninguém; de fato, alguns estudos mostram que um jejum faz até bem ao corpo pelo fato de eliminar algumas toxinas.

O propósito do jejum não é exibir sua religiosidade e dedicação a Deus; pelo contrário, é renovar o compromisso entre você e Deus. Isso não é algo tão fácil — como ocorre em qualquer disciplina espiritual, você encontrará, sem dúvida, alguma resistência e oposição. Por isso, embarque no jejum segundo Daniel — ou em qualquer outro jejum a que se proponha iniciar — com entendimento completo do que você está fazendo.

Saiba também que, embora o caminho seja difícil, a recompensa é grande.[3]

### Meu período de oração

*Senhor, oro para que tu me guies neste momento em que inicio meu jejum. Amém.*

---

[3] Para mais explicações quanto ao propósito do jejum, v. **The Beginner's Guide to Fasting** [O guia para iniciantes do jejum]. Ventura, CA: Regal, 2001. p. 9-15.

❧ 2 ❧

# O que é o jejum segundo Daniel?

Jentezen Franklin, pastor da Free Chapel em Gainesville, Geórgia — uma congregação com 10 mil pessoas — iniciou o ano com o jejum de vinte e um dias com base na experiência de Daniel. Todos participaram de alguma forma. Alguns da igreja jejuaram por um dia, outros por três dias, alguns por uma semana, e muitos pelos vinte e um dias. Jentezen chegou a dizer: "Tenho visto pessoas testificando que em apenas três dias de jejum por um ente querido que estava sofrendo com câncer, este foi completamente curado ao final do jejum. Em outro caso, o filho de uma senhora estava morrendo com uma febre muito intensa, associada a leucemia. Logo no primeiro dia, a febre do garoto se foi, e ele não teve nenhuma sequela ou traço de dano cerebral"![1]

Jentezen acredita que o jejum e o sacrifício no início anual é muito importante para o crescimento espiritual da congregação de Free Chapel. Alguns jejuam para se libertarem do *fast-food*, alguns jejuam a

---

[1] Franklin, Jentezen. **Fasting:** Opening the Door to a Deeper, More Intimate, More Powerful Relationship with God. LakeMary, FL: Charisma House, 2008. p. 55.

fim de quebrarem a força de um apetite desgovernado, e outros jejuam para se libertarem do vício da nicotina, do álcool ou das drogas, mas a maioria jejua para conhecer Deus intimamente. Jentezen Franklin tem dito: "Todo ano encorajo todos os membros da Free Chapel a tomarem parte nos vinte e um dias do jejum. Se em vinte e um dias você pode tornar-se uma pessoa nova, por que passar o resto de sua vida sentindo-se doente, acima do peso e de mau humor? Por que não dar um passo radical de fé? Temos só uma vida para dar a Deus — vamos assumir o controle de nosso corpo e dar a Deus o melhor que temos!".[2]

Então, como Daniel pode ter um jejum caracterizado com seu nome? Mais que isso, por que Daniel jejuou? Daniel tinha 16 anos quando os babilônios o levaram cativo. Naquele tempo o rei da Babilônia era Nabucodonosor. Daniel servira na corte de Jerusalém e agora era preparado para exercer algum tipo de função governamental na Babilônia.

Nabucodonosor estava preparando Daniel porque queria "jovens sem defeito físico, de boa aparência, cultos, inteligentes, que dominassem os vários campos do conhecimento e fossem capacitados". Nabucodonosor queria Daniel para "para servir no palácio do rei" (v. 4) e ajudá-lo a reinar sobre os judeus, o povo de Deus.

O rei, porém, queria transformar Daniel em um "babilônio". Desse modo "o rei designou-lhes [a Daniel e seus três amigos] uma porção diária de comida e de vinho" (v. 5).

Para alguns adolescentes de hoje, o termo "comida" significa *pizza* ou sorvete, e eles talvez ainda acrescentem álcool — ou até drogas — à lista. Mas Daniel não escolheu luxúrias; em vez disso, "contudo, decidiu não se tornar impuro com a comida e o vinho do rei (v. 8). Note a palavra "decidiu" nessa passagem. O segredo para o jejum é *decidir* no coração; ou seja, fazer um voto no início do jejum decidindo seguir o Senhor naquilo em que você comerá e beberá.

---

[2] Franklin, Jentezen. **Fasting**... cit., p. 42.

O que Daniel escolheu comer? A Bíblia diz que Daniel pede a seu superior que faça uma experiência com seus servos durante dez dias: "Não nos dê nada além de *vegetais* para comer e água para beber" (v. 12, grifo nosso). Os "vegetais" citados eram provavelmente verduras como alface, acelga, repolho, espinafre ou couve. Assim, Daniel comia uma "salada" leve. Quais foram os resultados? "Passados os dez dias, eles pareciam mais saudáveis e mais fortes do que todos os jovens que comiam a comida da mesa do rei" (v. 15).

O teste que Daniel propôs a seu supervisor parece ser bem simples, e, conforme você se compromete a realizar o jejum segundo Daniel, pode iniciar comendo apenas vegetais durante dez dias. Entretanto, você também pode escolher uma versão mais longa do jejum, apresentada no capítulo 10: "Comi apenas comida simples, sem tempero, e não comi carne nem bebi vinho" (v. 3, *A Mensagem*). Daniel continuou com seu jejum por vinte e um dias, "até que tivessem passado as três semanas".

O termo "comida simples" é muito interessante nessa passagem. "Comida" significa o que você considera prazeroso ao paladar, como bife, costeletas com provolone, e coisas do tipo. As versões *Almeida Revista e Atualizada e Corrigida* traduzem esse termo por "manjar desejável", enquanto a *Nova Tradução na Linguagem de Hoje* traz "comida gostosa". Todas essas definições apontam para uma mesma questão: durante esse jejum, você deve abster-se de coisas que gosta de comer e alimentar-se apenas com o necessário. Todavia, o jejum segundo Daniel é uma expressão de abstinência para o propósito da autodisciplina.

**Meu período de oração**

*Senhor, disponho-me a seguir-te naquilo*

*que eu comer e beber. Amém.*

## 3

# Por que jejuar?

Daniel e seus três amigos foram colocados em um "programa de treinamento" babilônico que iria prepará-los para se tornarem gerentes de programas de um governo estrangeiro. Parte da religião dos babilônios consistia em dietas especiais, de modo que os jovens foram imersos em um conjunto de costumes babilônicos, leis, valores e crenças.

Daniel e seus amigos pediram para ser privados de comer carne e beber vinho. Talvez tivessem feito isso pelo fato de que a comida era oferecida a ídolos, e comê-la significava comprometer-se com os falsos deuses. Talvez o vinho fosse intoxicante, o que violava suas práticas judaicas, ou talvez a comida incluísse alimentos fora do *kosher*, o que implicava uma violação à lei de alimentação judaica. Seja lá qual fosse a causa, Daniel sabia que a comida do rei não deveria ser ingerida por ele e seus três amigos.

Assim, Daniel "decidiu não se tornar impuro com a comida e com o vinho do rei" (v. Daniel 1.8). Seria uma escolha por boa saúde ou uma forma de se manter separado para Deus? Ambas! Daniel queria a vontade de Deus para o seu corpo. Portanto, não é isso que você vai querer para seu corpo também, durante o jejum?

O jejum não tem a dieta como objetivo primário; é um voto *espiritual* para Deus. Você pode perder peso durante seu jejum, ou pode diminuir a pressão ou o colesterol, e, ainda que esses resultados sejam bons, não são o foco primeiro desse jejum. Em vez disso, seu jejum tem um *foco espiritual*. Melhorar a saúde é sempre um resultado secundário quando fazemos o jejum. Veja o que acontece quando você participa de um jejum como esse. Primeiro, você reavalia sua vida à luz da perspectiva de Deus. Segundo, você quebra alguns maus hábitos alimentares, os quais restaurarão seu corpo, dando-lhe uma saúde melhor. Se você se juntar com sua igreja ou qualquer outro grupo cristão enquanto pratica esse jejum e orar por um objetivo específico, também será contemplado com autocontrole. As virtudes incontáveis que ganhamos ao fazer um jejum com outros fortalecem nossa autodisciplina.

Quando você inicia um jejum, começa também um processo de purificação em seu corpo, livrando-se de gorduras e outros efeitos paralelos provenientes de comer carne. Você se arrepende do pecado (provavelmente não do pecado de comer carne, mas de outros pecados associados à carne), e é impulsionado para junto de Deus durante a experiência. De fato, muitos que participam do jejum segundo Daniel testificam que se aproximam mais de Deus quando estão jejuando, bem mais que em qualquer outro momento de sua vida. Por quê? Pelo fato de estarem obedecendo a Deus a *cada minuto do dia*. Quando você está jejuando, também está atento a seu estômago o tempo todo, o que o torna atento à razão pela qual você está abstendo-se de comida — intimidade com Deus — enquanto jejua.

Uma última razão para fazer um jejum é que isso o leva a adorar a Deus. Quando você jejua e ora, honra Deus com seu corpo e sua alma.

**Meu período de oração**

*Senhor, sê glorificado em meu corpo*
*durante meu jejum. Amém.*

❧ 4 ❧

# Por que fazer votos?

O jejum segundo Daniel é um *voto amplo*, com duração bem maior do que apenas um dia de jejum (tal como é o *Yom Kippur*, no qual o povo tradicionalmente jejua por um período de vinte e quatro horas). Conforme observamos anteriormente, Daniel e seus jovens amigos jejuaram por dez dias (v. Daniel 1), e, então, posteriormente Daniel jejuou por vinte e um dias (v. Daniel 11).

Sem considerar se você está jejuando por dez ou por vinte e um dias, as duas perguntas que você deve fazer a si mesmo são praticamente iguais: 1) Por que estou jejuando? 2) O que desejo alcançar com este jejum? Tecnicamente, você deveria estar jejuando por algum compromisso, projeto ou resposta de oração. No jejum segundo Daniel, você faz um voto de abstinência para alcançar de Deus uma resposta que deseja muito. Você se dispõe a jejuar e orar por uma resposta de Deus.

O jejum é um *voto com tempo definido*, de modo que é preciso decidir de antemão por quanto tempo você jejuará e permanecer firme a esse compromisso até o fim. Por ter escrito diversos livros sobre o jejum, recebo cartas das pessoas dizendo sobre suas experiências com o jejum. Alguns indivíduos acabam contando que estão no 42º dia do jejum de quarenta dias e continuam gostando tanto da experiência que nem querem parar. Eles perguntam: "O que devo fazer?". Respondo dizendo-lhes que parem imediatamente. O jejum deles envolvia um voto com tempo definido. Eles deveriam começar em determinado momento e encerrar em outro.

O jejum é também um *voto de disciplina*. Você reforça o caráter em cada área de sua vida quando realiza o jejum segundo Daniel. Quando você assume o controle de seu corpo — seu *alter ego* —, começa a ter poder sobre seu caráter. Você passa a disciplinar seu corpo para glorificar Deus.

O jejum segundo Daniel é um *compromisso espiritual*. Durante o jejum, você ora por um *objetivo espiritual*. Lembre-se: um jejum não terá bons resultados se não incluir um sacrifício de oração. Conforme você disciplina seu corpo, está disciplinando também sua vida de oração.

O jejum segundo Daniel é um *voto de fé*. Em Marcos 11.22, Jesus exorta seus discípulos a ter fé em Deus. Para explicar como poderiam expressar a fé, ele orientou: "Eu lhes asseguro que se alguém disser a este monte [problema ou objetivo]: 'Levante-se e atire-se no mar', e não duvidar em seu coração, mas crer que acontecerá o que diz, assim lhe será feito" (v. 23). Quando Daniel inicia seu jejum, ele faz uma afirmação de fé para ingerir apenas vegetais e beber somente água. Da mesma maneira, o jejum que você faz é uma afirmação verbal daquilo que quer que Deus faça.

O jejum segundo Daniel é um *voto parcial*. Você não para totalmente de comer (um jejum absoluto) e também não faz um jejum apenas com sucos (um jejum normal). Em vez disso, você descarta alguns alimentos que geralmente comeria, ou elimina certos alimentos por um período específico de tempo, ou deixa de realizar certas práticas.

O jejum segundo Daniel é um *voto saudável*. Você se abstém dos alimentos de festas e dos *fast-foods*. Em geral você não come entre as refeições e ingere apenas comida saudável.

Finalmente, o jejum segundo Daniel é um *voto de estilo de vida*. Quando Daniel pediu permissão para evitar as comidas do rei por dez dias, investiu toda a sua vida naquela dieta. Assim, se ele continuou com "saúde", deve ter prosseguido com a dieta.

Algumas pessoas que fazem votos de abstinência de bebidas alcoólicas o fazem para a vida toda — comprometem-se a nunca mais provar bebidas alcoólicas. Podem fazer esse voto por motivos de saúde, uma vez que o consumo de álcool pode levar à cirrose e à morte prematura. Alguns fazem o voto por estarem viciados no álcool — eles têm sido escravos dele. Outros fazem votos de não experimentarem álcool por uma razão espiritual, por acreditarem que beber álcool é errado. (Meu pai morreu no alcoolismo, e minha família passou necessidade e enfrentou muitos outros problemas por causa desse vício. Lendo as Escrituras, cheguei à conclusão de que beber é ruim de qualquer maneira.) Na Bíblia, João Batista, o profeta Samuel e o herói Sansão fizeram votos de não ingerir álcool durante toda a vida. Se quisermos honrar nosso Senhor como eles fizeram, devemos seguir como exemplo seus votos de nazireu (v. Números 6.1-8).

Observe que nesses capítulos da Bíblia os cristãos são incentivados a praticar o jejum segundo Daniel. Deus dá a seguinte ordem a Pedro: "Levante-se, Pedro; mate e coma" (Atos 10.13), desconsiderando até mesmo a lei cerimonial. Portanto, em qualquer lugar que você comer comida saudável, coma com boa consciência para a glória de Deus. "Tudo o que fizerem, façam de todo o coração, como para o Senhor, e não para os homens" (Colossenses 3.23). Ainda assim, contudo, alguns se sentirão culpados quando encerrarem o jejum segundo Daniel e retornarem a seus hábitos alimentares cotidianos. Lembre-se, porém, de que no Antigo Testamento Deus indica apenas um dia para o jejum (o *Yom Kippur* ou Dia da Expiação), e sete dias de banquetes. Portanto, Deus gosta que seu povo desfrute da comida e seja feliz.

Alguns alimentos, entretanto, não são nada saudáveis. Parece que estamos vivendo dias de uma epidemia de obesidade em razão de alguns que comem demais e outros que se alimentam de forma errada continuamente. Por isso os cristãos deveriam optar pelo jejum segundo Daniel como forma de vida: "Passados os dez dias, eles pareciam mais saudáveis e mais fortes do que todos os jovens que comiam a comida da mesa do rei" (Daniel 1.15). Esse estilo de vida leva a uma clareza de mente e a melhores ideias: "O rei conversou com eles, e não encontrou ninguém comparável a Daniel, Hananias, Misael e Azarias; de modo que eles passaram a servir o rei. O rei lhes fez perguntas sobre todos os assuntos que exigiam sabedoria e conhecimento, e descobriu que eram dez vezes mais sábios do que todos os magos e encantadores de todo o seu reino" (Daniel 1.19,20).

### Meu período de oração

*Senhor, completarei meu jejum no tempo determinado.*
*Manterei todo o período a que me propus. Disciplinarei*
*meu corpo e minha vida de oração.*

*Senhor, vou jejuar e orar por meus objetivos. Quero desligar-me*
*dos prazeres a fim de buscar tua presença. Vou orar pelos meus objetivos.*
*Fortalece meu corpo durante esse período.*

*Pai, quero que sejas glorificado em meu corpo. Jejuo a fim*
*de obedecer à tua Palavra, e minha oração é que eu possa*
*adorar-te com meu jejum.*

*Senhor, eu me alimentarei com comida saudável*
*de tal maneira que me mantenha com muita saúde.*

*Dá-me sabedoria para escolher uma boa alimentação*
*e disciplina para me manter fiel a essa escolha.*

*Protege-me dos germes, das bactérias, dos venenos*
*e das toxinas que poderiam prejudicar minha saúde.*
*Protege-me quando eu não puder proteger-me. Amém.*

# 5

# Por que devo perseverar?

No primeiro capítulo deste livro contei a história de como Ron Phillips, pastor da Igreja Central da região de Chattanooga, no Tennessee, convidou-me a ir a sua igreja ministrar um seminário sobre jejum. Eu havia lecionado num dia de sábado das 9 às 15 horas. Quando terminei, Ron simplesmente pulou à frente dos telespectadores, entusiasmado, e disse-lhes: "Vamos nos organizar e orar. Somos uma típica igreja batista do Sul que organiza tudo, exceto quando se trata da oração".

Ron fez assim um importante pedido a todos: que pegassem um cartão de visitante do banco da igreja, preenchessem e prometessem jejuar um dia de cada mês em prol da igreja. As pessoas assim o fizeram e, registrando um voto por escrito, um total de 123 membros firmou o compromisso.

Ron permaneceu motivado. "Tivemos reuniões de avivamento esta semana — de domingo à quarta-feira —, todavia pouco aconteceu. Houve apenas 12 decisões no altar, e algumas eram apenas as crianças preparando-se para batizar." Ron havia falado a respeito de um avivamento na congregação que viesse por meio de oração e jejum. Assim, ele fixou os olhos em uma senhora que, por algum motivo, destacara-se e, então, a escolheu para ser a coordenadora da ação.

Ela organizaria as pessoas que iriam "cobrir a igreja" em cada dia do mês, por meio de jejum e oração. Ele também selecionou um considerável grupo de pessoas para jejuar e orar todos os domingos.

Às pregações de Ron foi acrescentada uma natureza decididamente mais espiritual como resultado dessa conferência. Ele convocou a igreja para orar e jejuar de forma sincera. Alguns meses depois, quando uma nova campanha evangelística se realizava, houve 998 decisões no altar. Nos inscritos na escola dominical também ocorreu uma ascendência meteórica para 258, nos cultos aos domingos 401 era o novo total de frequentadores, e a igreja teve um aumento de receita de 500 mil dólares em relação ao ano anterior. Jejum e oração realmente funcionam.

Deus honrou o compromisso espiritual firmado. Dois anos depois a igreja estava superlotada. Eles agora ofereciam três cultos e mesmo assim precisavam desesperadamente de mais espaço. Foi quando, durante um culto, Ron surpreendeu os membros com uma nova proposta de iniciar um jejum de quarenta dias realizado por ele, os diáconos e a equipe da igreja. A ideia de passar quarenta dias jejuando assustou a grande maioria. Ron os surpreenderia mais uma vez ao comunicar que se tratava de um tipo diferente de jejum: o jejum segundo Daniel.

Então, segurando um cartão, Ron pede que todos leiam os quatro pedidos de oração ali escritos. O primeiro pedido seria orar pelo tamanho do novo auditório. No santuário atual havia 600 assentos, de maneira que Ron pedira que as orações focassem a decisão entre 1.200 lugares, 2.400 lugares, 3.600 ou 4.800. "A decisão não é nossa; é Deus quem decide", disse Ron. "Descobriremos sua vontade com jejum e oração."

O segundo pedido se referia ao tipo de santuário que deveria ser construído. Ron lhes pediu que orassem para decidir entre construir um santuário batista tradicional do Sul ou um auditório de entretenimento artístico como aqueles que se veem nos centros cívicos, o que tornaria possível à igreja realizar produções de tevê, musicais e as mais variadas atividades.

O terceiro pedido era sobre a locação da propriedade. Deus lhes havia concedido uma propriedade que começa em uma das avenidas principais e termina em outra, estendendo-se por trás do centro comercial. Desse modo, Ron propôs o seguinte desafio à congregação: "Vamos decidir a respeito da locação por meio de jejum e oração".

O quarto pedido era relacionado às finanças. Eles precisariam de muito dinheiro para alcançar o tamanho da visão.

Ron, por fim, virou o cartão para revelar as diversas maneiras em que o jejum seria realizado, de acordo com os itens cuja orientação eles buscavam de Deus. "Vou explicar-lhes a importância de cada atividade", anunciou, "e pedirei que façam quarenta dias de jejum e oração para apenas um desses votos e propósitos pelo futuro espiritual da igreja". Estas foram as orientações dadas à igreja:

- *Uma refeição por dia.* O jejum não consiste apenas em deixar de alimentar-se, mas em também orar no momento da refeição. Certa vez, Jesus disse: "Vocês não puderam vigiar comigo nem por uma hora?" (Mateus 26.40). Leva cerca de uma hora para preparar uma refeição ou para ir ao restaurante, de modo que esse período se torna perfeito para oração. Há pessoas que trabalham com tarefas difíceis e cansativas que não podem jejuar totalmente porque precisam de forças e resistência física, mas existe a possibilidade de fazerem o sacrifício de uma refeição diária a Deus.
- *Duas refeições por dia.* Algumas pessoas poderiam orar por duas horas por dia sacrificando duas refeições a Deus.

- *Alimentar-se apenas de vegetais.* O jejum segundo Daniel envolve não se render a carnes, sobremesas e lanches, comendo apenas os alimentos que Daniel comeu no período de jejum. Ainda que esse jejum não represente diretamente um tempo extra de oração, devemos considerar que esse compromisso de coração puro, combinado à oração, move o coração de Deus.

- *Deixar de assistir à televisão.* Pessoas que não participam da igreja podem até achar engraçado e rir sobre um jejum de tevê, mas esse é um compromisso com Deus de pôr Jesus em primeiro lugar. Trata-se de uma escolha espiritual em resposta a Cristo, aquele que prometeu: "Busquem, pois, em primeiro lugar o Reino de Deus e a sua justiça, e todas essas coisas lhes serão acrescentadas" (Mateus 6.33).

- *Deixar de praticar esportes.* Deixar *hobbies* como boliche, golfe, pesca, corrida ou qualquer outra atividade por quarenta dias para orar durante esse período é uma escolha que põe o exercício espiritual acima do físico. "O exercício físico é de pouco proveito; a piedade, porém, para tudo é proveitosa, porque tem promessa da vida presente e da futura" (1Timóteo 4.8).

- *Deixar de praticar a leitura de entretenimento.* Toda leitura que for além do trabalho e da preparação para a escola dominical pode tornar-se um período de oração. Você também pode substituir o período de leitura do jornal por oração.

- *Outros.* Essa é uma área abrangente. Individualmente cada pessoa pode praticar um jejum de qualquer coisa que Deus lhe trouxer à mente.

- *Voto.* Esse é um compromisso de fé. Pede-se que a pessoa assine um cartão firmando um compromisso com Deus, não com a igreja, tampouco com o pastor.

- *Restringir o uso do telefone e das mensagens de texto.* Embora alguns desses equipamentos de comunicação sejam indiscutivelmente necessários, em muitas situações são simplesmente consumidores de tempo que deveriam ser totalmente restritos. (Durante o quarto trimestre de 2008, os adolescentes americanos enviaram uma média aproximada de 2.272 mensagens de texto por mês, quase 80 por dia!)[1]
- *Uso de iPhone ou MP3 players.* Algumas pessoas se limitam a ouvir apenas um repertório de músicas cristãs durante o jejum (músicas de louvor e adoração que preparam o coração para a oração). Isso significa não ouvir música secular nesse período especial.

Certa vez, estive na Igreja Metropolitana de Deus em Birmingham, Alabama, onde Raymond Culpepper era pastor. (Hoje ele é chefe de supervisão da denominação em Cleveland, Tennessee.) Sua igreja estava tentando levantar 5 milhões de dólares para a construção de um prédio para os jovens. Eles pediram a uma audiência de 2 mil fiéis que assinassem um cartão semelhante ao usado por Ron Phillips na Igreja Batista Central. Assim disse o pastor Culpepper: "Não faremos a coleta dos cartões da mesma maneira que coletamos ofertas todos os domingos. Quero que vocês venham até o altar, prostrem-se em oração para iniciar os votos que estão fazendo hoje e, então, deixem seu cartão no altar". Assim, muitas pessoas foram ao altar, onde não havia mais espaço disponível. Ajoelharam-se pelos corredores e depositaram seu cartão diante do púlpito. Essas pessoas literalmente entregaram seus votos.

---

1 Hafner, Katie. Texting May Be Taking a Toll, **New York Times**, 26 de maio de 2009, seção Health. Disponível em: <http://www.nytimes.com/2009/05/26/health/26teen.html?_r=2&em>. Acesso em: 10 jun. 2009).

O que podemos aprender com essas igrejas? Pequenas coisas se tornam grandes aos olhos de Deus quando são a expressão de algo e alguém a Deus. O Senhor anota nossos pequenos atos de amor. "O que vocês fizeram a algum dos meus menores irmãos, a mim o fizeram" (Mateus 25.40). Lembre-se de que você não está jejuando por sua igreja ou para receber uma resposta de oração, ou por qualquer outra razão. Você jejua para Deus, pois fez o seu voto a ele. "Deus não é injusto; ele não se esquecerá do trabalho de vocês e do amor que demonstraram por ele, pois ajudaram os santos e continuam a ajudá-los." (Hebreus 6.10)

## Sugestões para o jejum segundo Daniel

Elimine uma refeição por dia e ore nesse período.

Elimine duas refeições diárias e ore nesse período.

Elimine todas as sobremesas.

Elimine qualquer "iguaria", alimento supérfluo e alimentos ingeridos apenas por prazer.

Coma apenas o necessário e no momento da refeição (sem lanches extras).

Elimine todas as bebidas (café, chá, refrigerantes ou outras bebidas industrializadas), exceto água.

## Interpretações contemporâneas do jejum segundo Daniel

Deixe de receber mensagens de texto e de redes sociais ou qualquer forma de comunicação social em que nossos pensamentos se distanciam de Deus.

Deixe de ouvir música secular, substituindo-a por louvores e música de adoração.

Deixe de ler o jornal ou publicações de entretenimento. Separe esse tempo para orar.

Deixe de assistir à tevê e também use esse período em oração.

Deixe de praticar esportes; dedique esse tempo à oração.

Deixe de praticar sexo. "Não se recusem um ao outro, exceto por mútuo consentimento e durante certo tempo, para se dedicarem à oração" (1Coríntios 7.5).

## Meu período de oração

*Senhor, dedico pequenos gestos para expressar a grandeza de tua supremacia em todas as áreas de minha vida.*

*Senhor, hei de crer em pequenas expressões de fé para grandes respostas à oração.*

*Senhor, meu voto é para que se cumpram essas pequenas expressões de amor a ti. Amém.*

❧ 6 ❧

# Qual o principal foco do jejum segundo Daniel?

Conforme você inicia este modelo de jejum, é fácil focar a refeição que você está perdendo ou nas atividades que você deixará de exercer. É fácil focar sua abstinência, não o propósito básico pelo qual você está jejuando. Mas lembre-se de que Deus não fica impressionado apenas porque você parou de comer determinados alimentos ou deixou de comer completamente, mesmo porque fazer isso será algo bom para sua própria saúde. Deus não se impressiona com a aparência de seu jejum. O segredo de qualquer jejum não é o que você mantém fora do estômago, mas o que provém do coração. Deus está bem mais interessado em seu interior, não em sua aparência.

Em Marcos 9.29, Jesus descreve o poder espiritual necessário para remover barreiras espirituais: "Essa espécie só sai pela oração e pelo jejum". Desse modo, é preciso que você se dedique totalmente à oração *e* ao jejum. O comprometimento externo com o jejum por meio de seu corpo físico reflete em seu comprometimento interior com a oração. Observe também que a expressão "pela oração e pelo jejum" do versículo enfatiza uma ação contínua. Isso significa que você deve jejuar mais do que uma vez apenas ou fazer do jejum uma prática contínua. Durante seu jejum segundo Daniel, sua decisão acerca do que comer ou deixar de comer terá mais influência em sua vida de oração do que qualquer outro exercício espiritual. Se você for irreverente com o seu jejum, será irreverente com o seu alvo de oração.

Os princípios básicos do discipulado não eram *autonegação* e *disciplina*, mas seguir Cristo. O próprio Jesus disse: "Se alguém quiser acompanhar-me, negue-se a si mesmo, tome diariamente a sua cruz e siga-me" (Lucas 9.23). Isso envolve voltar-se ao Senhor e pô-lo no lugar mais importante de sua vida, desviando-se assim de qualquer coisa que o impeça de segui-lo.

Há três palavras nesse versículo que devem influenciar seu jejum. A primeira é a ordem "negue-se". Significa que você deve fugir de qualquer coisa que o impeça de relacionar-se com Cristo. Você deve abandonar o trono do seu coração, no qual Jesus precisa assentar-se a fim de controlar o que você come e bebe. A segunda palavra é "diariamente". Seguir Jesus significa oferecer 24 horas de dedicação; assim, o seu jejum requer um voto de dez dias ou um de vinte e um dias, acompanhado de contínua oração. A terceira palavra é "siga-me". Assim como Jesus jejuou para se preparar em sua vida espiritual, você precisa seguir o exemplo de Jesus em seu jejum para concluir seu voto espiritual.

## Meu período de oração

*Senhor, negarei o prazer de meu ego durante este jejum de maneira que possa buscar tua vontade para minha vida. Considero um privilégio desistir de todos os "manjares desejáveis", para tua glória, e firmar isso como um compromisso em minha oração.*

*Senhor, faço um voto espiritual a ti de que jejuarei de forma fiel e me manterei em oração por dez dias ou por vinte e um dias.*

*Senhor, dá-me autodisciplina para cumprir meus votos e força interior para seguir com o compromisso de oração a fim de obter as respostas que tenho buscado. Amém.*

❧ 7 ❧

# Como posso me preparar para o jejum?

Em 1971, quando me mudei para Lynchburg, Virgínia, vindo da Grande Chicago, Illinois, havia naquele local um pequeno centro comercial. Por essa razão, não vendi uma casa que tinha ali, mas aluguei, gerando mais uma entrada financeira mensal. Mudei-me para outra casa em Lynchburg, pagando um aluguel mensal. Todo mês eu orava pelo inquilino de Illinois, mas não o fazia com muita fé. Achava difícil ser otimista enquanto os negócios definhavam. Meus olhos estavam nas circunstâncias, não na habilidade de Deus para operar milagres.

Em certo ponto eu disse a minha esposa: "Vamos jejuar juntos no 15º dia do mês, para termos uma confirmação de que poderemos vender a casa em Chicago". O aluguel em Chicago vencia no 15º dia, enquanto o de minha casa em Lynchburg vencia no dia primeiro de cada mês. Ao fazer esse acordo, não considerei orar por uma intervenção divina. Naquele primeiro mês jejuamos e oramos, mas nada aconteceu. Nenhuma palavra veio de Chicago. Então, esqueci completamente o jejum, ainda que tenha continuado a orar todos os dias para que a casa fosse vendida.

Quando estava prestes a pagar o aluguel do próximo mês, eu disse novamente a minha esposa: "Vamos jejuar juntos no 15º dia para que a casa seja vendida". Assim fizemos, mas nada aconteceu. Nenhuma resposta de Chicago.

Continuei orando diariamente, e eu e Ruth jejuamos no 15º dia de cada mês subsequente, ainda que nada acontecesse. Então, após seis meses, nosso corretor ligou e disse: "Orem, pois tenho uma boa notícia". Ele era cristão, mas eu não lhe contei que estávamos jejuando.

Ao final de um ano fui a Chicago assinar os papéis da venda. Eu estava conversando informalmente com o comprador quando ele mencionou que almejava nossa casa fazia cerca de um ano. Então, citou a data exata em que viu a casa pela primeira vez: "Foi no aniversário de minha esposa". Era o 16º dia do mês em que eu e Ruth oramos pela primeira vez — um dia após a data em que jejuamos. Um arrepio atravessou meus braços e minhas costas. *Era obra de Deus,* pensei.

Aprendi três lições sobre jejum e oração logo na primeira vez em que jejuei e obtive sucesso. Primeira: *Quando a oração diária não é suficiente, o jejum leva a oração a um patamar mais elevado.*

Segunda: *Há muito poder em duas ou três pessoas concordando em oração e em jejum.* Jesus ensinou: "Também lhes digo que se dois de vocês concordarem na terra em qualquer assunto sobre o qual pedirem, isso lhes será feito por meu Pai que está nos céus" (Mateus 18.19). Assim, há poder quando você se reúne com sua esposa, sua igreja ou qualquer outro grupo do povo de Deus para orar —, especialmente quando vocês estabelecem um objetivo e se comprometem a jejuar juntos por aquele objetivo.

Terceira: *Uma vez que você inicie o jejum, não desista.* Temo imaginar o que teria acontecido se eu e Ruth tivéssemos desistido quando a casa não havia sido vendida na primeira vez em que jejuamos. Continuar o jejum demonstra sua fidelidade a Deus e sua crença de que ele fará algo poderoso — e de que fará isso em resposta a sua oração.

Vamos tratar agora com mais detalhes de seu jejum. Conforme você inicia um jejum e oração, há três itens que precisa considerar. Primeiro: você deve ter um *objetivo.* Em meu caso, o objetivo era vender aquela casa. Segundo, você precisa desenvolver um *plano.* Meu plano era jejuar no 15º dia de cada mês. Terceiro: você precisa fazer um *voto* — uma promessa de completar o jejum.

Você provavelmente já tem um projeto ou objetivo em mente, mas sugiro que use uma lista de verificação para o jejum, similar à mostrada a seguir. Assim como um piloto de avião consulta sua planilha para checar se tudo está perfeito antes da decolagem — consciente de que, se um pequenino item estiver duvidoso, pode haver um desastre —, você deve ser de igual forma diligente ao se preparar para sua jornada. Além de tudo, seu jejum é tão importante quanto esse exemplo, e talvez mais importante. Um piloto está lidando com vidas temporais, enquanto você está lidando com vidas espirituais. Assim, use uma lista de verificação pronta, ou elabore sua própria lista, para se certificar de que pensou em tudo e de que já tem tudo o que é necessário para iniciar seu jejum. (A lista de verificação a seguir se baseia em minha própria experiência de jejum e oração para a venda da casa em 1972 e dá uma ideia do que você pode fazer para documentar seu projeto de fé.)

## LISTA DE VERIFICAÇÃO PARA O JEJUM

**Objetivo:** Vender minha casa na Grande Chicago.

**Afirmação:** Creio que Deus responde a minha oração quando faço minha petição especificamente em nome de Jesus e compreendo as condições da intercessão. Assim, entro neste jejum pedindo que Deus responda a minhas orações em favor do voto com o qual me comprometi.

**O que deixarei de fazer:** Farei um jejum ao estilo do *Yom Kippur* (isto é, de um dia apenas).

**Início:** Pôr do sol do dia 14.

**Fim:** Pôr do sol do dia 15.

**Quando vou orar:** No dia 15 de cada mês.

**Base bíblica:** Mateus 18.19.

**Promessa bíblica:** "Também lhes digo que se dois de vocês concordarem na terra em qualquer assunto sobre o qual pedirem, isso lhes será feito por meu Pai que está nos céus. Pois onde se reunirem dois ou três em meu nome, ali eu estou no meio deles" (Mateus 18.19,20).

**Recursos necessários:** Escreverei em minha jornada de oração à medida que Deus falar comigo.

**Parceiro de oração:** Minha esposa, Ruth.

**Passos após o jejum:** Preparar-me para o jejum do próximo mês.

Conforme você preenche sua lista de verificação, cinco passos o ajudarão a alcançar seu objetivo de fé. São eles:

1. *Focalize sua necessidade.* Você estará fazendo algo que não está em sua rotina normal ou em suas tarefas costumeiras. Você está escolhendo não comer (ou não participar de determinados hábitos) por um propósito. Focalize aquilo que você espera que Deus faça. Escreva suas necessidades de forma bem clara; isso ajudará a focalizar o que você estiver fazendo e a expor sua verdadeira necessidade.

2. *Concentre-se naquilo que você fará.* Você está prestes a fazer algo de que realmente necessita e a pôr o problema diante do Deus do Universo. Concentre-se em seu relacionamento de oração com Deus para resolver o problema.

3. *Inicie e termine com um propósito.* Alguns acabam perdendo o horário de almoço e chamam isso de "jejum". O fato de perder uma refeição em razão das circunstâncias da vida não é jejum, a menos que você se proponha a usar o tempo de jejuar para um propósito espiritual. Deus conhece seu coração. Também não inicie um jejum com a ideia de ver até que ponto você consegue jejuar ou pode abster-se de determinado tipo de alimento. Inicie com um propósito e cumpra o período predeterminado. Assim, comece e finalize o jejum em um dia específico. Seja firme no encerramento! Quebre seu jejum e alimente-se em clima de vitória e regozijo.

4. *Reúna de antemão os recursos necessários.* Antes de iniciar seu jejum, junte os recursos de que você necessitará. Caso esteja jejuando por uma pessoa, tenha uma foto à vista durante a oração para alimentar sua memória. Caso esteja orando sobre finanças, espalhe todos os registros financeiros a sua frente

antes de orar a respeito. Faça o mesmo se estiver orando sobre empregar ou despedir alguém. Coloque a sua frente os documentos dessa pessoa durante seu momento de oração. Algumas vezes seleciono um livro devocional que gostaria de ler durante meu tempo de jejum, ou mesmo um DVD ao qual gostaria de assistir ou um CD para ouvir.

5. *Lembre-se do "princípio da jornada interior"*. Da mesma forma que não devemos iniciar uma jornada sem planejamento prévio, devemos também preparar previamente nosso interior para um jejum a fim de obter sucesso. Assim como a capacidade de um tronco dará à árvore o crescimento proporcional, também você deverá desenvolver seu caráter interior à medida que controla sua dieta exterior.

6. *Faça um voto.* Novamente, lembre-se de que o jejum é um voto pessoal que você faz para Deus. Ainda que você se reúna a uma ou mais pessoas que também estejam fazendo o jejum, é preciso lidar pessoalmente com Deus antes de se juntar aos outros.

Seguir uma lista de verificação ajudará você a pensar de antemão em todos os aspectos relacionados ao que você está prestes a fazer. Note que você não precisa firmar um voto, mas eu o incentivo a fazê-lo. Quando você assina um contrato secular, compromete-se com os outros acerca de algo que terá de cumprir em determinado período. Quando você jejua com os outros, eles esperam que você cumpra sua parte, portanto faça uma lista como se estivesse documentando uma promessa a Deus e a si mesmo. Os votos devem dizer algo como: "Deus, cumprirei meu propósito".

Depois disso, é necessário que você leve tal propósito até o fim. Além de preencher uma lista de verificação para o jejum e a oração que você começará em breve, você também deve recorrer aos apêndices deste livro, pois eles o podem ajudar a aclarar as razões para seu jejum, os vários tipos de jejuns e as práticas bíblicas que poderão auxiliar em sua saúde durante esse período. Recomendo que você consulte permanentemente sua lista — um documento para sua jornada de fé. Você iniciará uma coleção de anotações enquanto segue confiante em Deus e busca uma intimidade maior com ele durante toda a sua vida.

### Meu período de oração

*Senhor, tenho grande necessidade e a apresento a ti.*
*Ajuda-me a jejuar e a orar por essa necessidade.*

*Senhor, minha fé nem sempre é firme e nem sempre prevalece.*
*"Creio, ajuda-me a vencer a minha incredulidade!"* (Marcos 9.24).

*Senhor, eu me comprometo a jejuar de acordo com esta lista*
*que preparei. Ajuda-me a manter meu voto e te suplico*
*que respondas a minha oração. Amém.*

SEÇÃO 2

# Leituras diárias

PRIMEIRA SEMANA

# Visão geral do 1º ao 7º dia

### Aprendendo a jejuar

Aprender a jejuar é como iniciar uma jornada de vários quilômetros com o primeiro passo, portanto os vinte e um ou os dez dias de jejum começam no primeiro dia. Por essa razão, inicie o primeiro dia com obediência — orando com sinceridade até chegar ao último dia.

Comece o primeiro dia com a esperança de que Deus responderá e dará a você a fé necessária para seu alvo de oração.

Não esqueça seu compromisso. Firme o propósito de cumprir seu voto de jejuar e ore até o fim de seu período de compromisso. Os exemplos de leituras diárias oferecidos aqui o poderão instruir no seu jejum e também o motivar todos os dias para continuar até o fim.

Esse jejum pode ser o maior passo de fé que você já deu em sua vida. Que Deus possa ser engrandecido em sua vida de oração, e que sua experiência espiritual possa crescer grandemente durante esse jejum.

### Leituras diárias

- **1º dia:** Sua oração individual no jejum
- **2º dia:** Juntando-se a outros no jejum
- **3º dia:** Compromisso diário durante o jejum
- **4º dia:** Orando e jejuando por um objetivo
- **5º dia:** Benefícios do jejum prolongado
- **6º dia:** Dizendo não em oração
- **7º dia:** A persistência no jejum

❧ 1º DIA ❧

# Sua oração individual no jejum

*"Ao jejuar, arrume o cabelo e lave o rosto, para que não pareça aos outros que você está jejuando, mas apenas a seu Pai, que vê em secreto. E seu Pai, que vê em secreto, o recompensará."*

MATEUS 6.17,18

Minha neta, Beth, ouviu-me falando em jejuar pela família. Ela sabia que eu tinha escrito um livro — *Jejuando para o crescimento espiritual* — considerado o segundo melhor livro pela Associação de Publicadores Evangélicos. Mas eu nunca a havia convidado a jejuar, nem sequer tive alguma conversa pessoal com ela a respeito do tema.

O que geralmente nos leva a jejuar é uma necessidade, e foi o que aconteceu com Beth, uma adolescente de 12 anos de idade. Seu grupo de amigos tinha uma equipe de teatro com marionetes (ela também participava com uma das personagens). Eles planejaram uma viagem para um reformatório juvenil a fim de entreter e apresentar o evangelho por meio de músicas e histórias para os jovens que haviam tido problemas com a justiça.

Ninguém disse para Beth jejuar, mas Deus pôs essa carga em seu coração, de maneira que ela poderia ver Deus trabalhando na vida do grupo. Beth e sua equipe decidiram orar em conjunto, mas ela decidiu jejuar sozinha e nem contou aos outros o que havia planejado.

Beth decidiu jejuar por um dia, pedindo que um dos detentos pudesse receber Cristo. Ela nada me disse, nem a seus pais, até que já estivesse fazendo o jejum. Então, contou: "Mãe, não vou comer nada nesta manhã; estou jejuando para que alguns dos meninos venham a ser salvos quando o poder de Deus estiver no centro de detenção".

Como Jesus descreve a fé de uma criança? Ele colocou um menino no meio de seu grupo de discípulos e disse: "[...] o Reino dos céus pertence aos que são semelhantes a elas" (Mateus 19.14). Veja a seguir como Deus honrou a fé de Beth.

Na tarde de seu jejum, Beth comeu um biscoito em seu quarto assim que retornou da escola. Ela começou seu jejum ao pôr do sol e apenas bebeu algo como jantar em seu quarto. Passou um tempo de oração em favor da apresentação das marionetes e especificamente de sua parte.

Na manhã seguinte, Beth não tomou café da manhã; apenas bebeu um copo de suco de laranja (pois seu avô toma um pouco de suco de laranja pelas manhãs enquanto jejua). Ela orou de forma específica antes de seguir para a escola.

Durante o almoço, Beth pediu permissão para se manter em seu quarto e nem compareceu no pátio de refeição. Ela me contou o seguinte: "Eu só pensava em comida durante toda a tarde".

Então, em sua inocência juvenil, ela disse: "Fiquei feliz quando o sol se pôs e pude comer alguns biscoitos antes do jantar".

Deus vê do céu todas as "simples coisas" que fazemos por ele. Embora essa experiência de Beth pareça ser bem simples para nós, para ela foi um grande passo. E por acaso Deus não mede nossos passos de fé segundo nossa maturidade e, então, nos dá a recompensa?

Então, qual foi o resultado do jejum de Beth? Alguns dos meninos oraram para receber Cristo durante a programação. Beth me disse mais tarde: "Sei que Deus honrou minha fé, mas o jejum foi realmente muito difícil". Então, ela explicou o trabalho de Deus e como isso refletiu em suas orações e nas orações do restante do grupo. "Eles não pareciam orar com a mesma força que eu orava e, quando Deus respondeu às orações, eles não pareciam ter ficado mais felizes do que eu fiquei."

## Orando sozinho ou com outras pessoas?

Algumas vezes nós nos alegramos em orar junto com outras pessoas que gostam de orar. Elas têm uma voz forte e se entregam verdadeiramente quando estão conversando com Deus. Sua oração pessoal fortalece nossa fé porque sabemos que Deus irá ouvi-las e responderá. É muito bom orar com outras pessoas, pois é possível ter uma nova experiência de fé, além de elas nos incentivarem a orar com mais fé.

No entanto, também é muito bom orar sozinho. Alguém já disse: "Um intercessor sozinho com Deus move qualquer montanha ao mover o céu". O próprio Jesus nos instruiu a entrarmos em nosso lugar de oração — sozinhos — e fecharmos a porta (v. Mateus 6.6). Jesus promete: "Então seu Pai, que vê em secreto, o recompensará".

Qual seria a melhor forma para orar? Sozinho ou em grupo? Ambas são adequadas para momentos diferentes. É preciso usar tanto a perna direita quanto a esquerda para ir a qualquer lugar. Aqueles que mancam com uma das pernas não conseguem caminhar por muito tempo, não conseguem ser muito rápidos, nem têm uma caminhada prazerosa.

Esquerda, direita... esquerda, direita... esquerda, direita... esquerda, direita... esquerda, direita... precisamos de ambas as pernas para ir a qualquer lugar. Você precisa aprender a orar tanto em grupo quanto individualmente.

Pelo fato de a oração ser um *relacionamento*, isto é, falar com Deus, você pode falar com ele sozinho ou em grupo. Você pode falar com Deus em seu carro, ou pode orar em lugares abertos, no metrô lotado ou em alguma fila de espera.

Orações pessoais alcançam Deus; portanto, aprenda a orar fora de casa em momentos solitários, ou mesmo em locais públicos. Mas também aprenda a concordar em oração com outras pessoas. Você pode se deleitar tanto nas asas de uma oração solitária como ao lado de outros intercessores.

## Oração pessoal

Enquanto lê este livro, você está em uma jornada solitária. Você está simbolicamente em seu "quarto", orando sozinho, como fez Beth. Talvez você queira fazer parte de um grupo de jejum. Muitos estão jejuando e orando por determinado projeto de fé; mas, ainda que você esteja no meio de um grupo, essa é uma jornada pessoal.

Por quê? Pelo fato de ser a primeira vez que você está jejuando ou pelo fato de que você lutou muito para conseguir orar com outros? Tanto uma como a outra razão podem ser adequadas, pois Deus é capaz de ouvir suas orações pessoais e responde a qualquer um que ora em sinceridade e fé.

Mencionei anteriormente o lugar de oração. A versão *A Mensagem* traduz esse trecho como "local tranquilo e isolado" (Mateus 6.6). A *Almeida Revista e Atualizada* diz: "Mas tu, quando orares, entra no teu aposento e, fechando a tua porta, ora a teu Pai, que vê o que está oculto; e teu Pai, que vê o que está oculto, te recompensará" (Mateus 6.6). Já que a oração é uma conversação íntima com Deus, descubra seu local preferido e calmo para realizá-la.

Observe os trechos bíblicos que narram Jesus orando: "Certa vez Jesus estava orando em particular" (Lucas 9.18) e "retirou-se novamente sozinho para o monte" (João 6.15). O evangelho de Marcos descreve a seguinte situação: "Tendo-a despedido [a multidão], subiu a um monte para orar" (Marcos 6.46).

Quando você fala com Deus, pode até estar solitário, mas jamais estará em solidão. O Senhor estará ali com você para o ouvir e encorajar.

## Meu período de oração

*Senhor, venho a um local solitário em busca de tua presença.*
*Estou jejuando e orando pelo voto que fiz a ti.*

*Ainda que outros estejam orando pela mesma petição,*
*minha oração é única e pessoal. Eu a trago ao Senhor.*

*Senhor, atende à petição que faço*
*individualmente a ti. Amém.*

## Minhas respostas de oração

____________________________________________

____________________________________________

____________________________________________

____________________________________________

____________________________________________

____________________________________________

Para sugestões de receitas, veja as páginas 217-231.

❧ 2º DIA ❧

# Juntando-se a outros no jejum

*Nossa capacidade de perceber a direção de Deus em nossa vida está diretamente relacionada à nossa habilidade de sentir os avisos internos do seu Espírito. Deus provê uma atividade específica para nos ajudar nessa área.* [...] *Alguns homens, por intermédio dos quais Deus operou de forma grandiosa, intensificam a importância do jejum e da oração.* [...] *Em um jejum de mais três dias, alguém pode experimentar um declínio nos desejos sensuais e experimentar um rápido avivamento nas coisas espirituais.*

BILL GOTHARD

Pedir por coisas específicas a Deus é uma das regras do seu Reino. Jesus nos ensinou: "Peçam, e lhes será dado; busquem, e encontrarão; batam, e a porta lhes será aberta" (Mateus 7.7).

Petições específicas são uma das razões para minha conversão, e houve ainda uma motivação por um grupo intercessor, que orou durante todo o verão de 1950. Eu acabara de terminar o ensino médio e tinha sido aceito na Faculdade Armstrong Junior, em Savannah, Geórgia, com uma bolsa integral. Mas orações estavam sendo feitas por minha vida.

Dois irmãos gêmeos da Faculdade Bíblica de Colúmbia — Bill e Burt Harding — vieram pastorear a Igreja Presbiteriana de Bonna Bella, a cerca de 15 km do centro de Savannah e 7 km de minha casa. Não havia nenhuma diversão em Bonna Bella, situada em uma pequena baía pesqueira, com duas lojas e uma única avenida chamada LaRoacha, por onde os carros cruzavam a cidade, mas os dois gêmeos fizeram de Bonna Bella o *point* de toda a Savannah.

Eu servia em uma igreja presbiteriana e acreditava ser salvo; até pensava em me tornar um ministro. Mas esses planos estavam esmaecendo. Também ganhara uma bolsa de trabalho na Universidade de Tecnologia da Geórgia por causa de um projeto futurista que havia apresentado.

A pequena Igreja Presbiteriana de Bonna Bella cresceu de 20 para mais de 50 membros sob o ministério de Bill e Burt Harding. Grupos de adolescentes de diferentes igrejas presbiterianas ao redor de Savannah vieram visitar a igreja de Bonna Bella, em virtude da alegria ali encontrada.

Bill e Burt Harding moravam em uma pequena casa sobre uma garagem de dois carros, com um pequeno salão de entrada com acesso por uma escada de madeira, a qual levava ao piso superior. Iniciaram um grupo de oração que começava às 5 horas da manhã, encerrando às 8 horas todos os dias. Se eu tivesse ouvido sobre esse grupo de oração, teria comparecido. Contudo, nunca ouvira falar de nenhum grupo ou pessoa que orasse durante tanto tempo.

Bill anunciou à pequena congregação: "Venham e orem quando estiveram indo para o trabalho. Vocês não precisam ficar durante todo o tempo e também não precisam vir todos os dias".

Os irmãos gêmeos convenceram os irmãos daquela comunidade de que eles poderiam mudar o mundo por intermédio da oração. "Você pode orar por um jovem que venha a ser um missionário, o qual levará o evangelho para o mundo afora."

Eles tinham uma lista com cerca de 60 nomes de jovens que frequentavam o salão de intercessão a fim de orarem uns pelos outros.

Eu nunca fui àquela reunião, apenas ouvi falar sobre ela após minha conversão de fato. Mas aquela reunião realmente influenciou o mundo. Os irmãos dividiam as manhãs de oração em turnos: um deles esperava pelos guerreiros de oração das 5 horas às 6h30; e o outro irmão entrava às 6h30 e permanecia até às 8 horas. No outro dia eles trocavam.

O salão era pequeno — longo e estreito —, e não mais do que quatro ou cinco pessoas cabiam em cada fileira. O terreno gramado em frente à casa que era usado como estacionamento acomodava mais carros do que pessoas.

O povo de Bonna Bella era formado por trabalhadores assalariados. Não havia ninguém rico, nenhum milionário e ninguém tentando tornar-se milionário. Eram gente boa que trabalhava pelo salário, o qual lhes proporcionava cuidar de sua família e viver da maneira correta. Mas eles acreditavam em Bill e Burt e tentavam influenciar o mundo orando por um avivamento e pelos 60 nomes escritos naquela folha de papel.

Ainda estava escuro às 5 horas da manhã, quando o primeiro carro estacionou em frente do salão e desligou as luzes. Uma figura solitária subiu as escadas à luz da lua e ajoelhou-se perto de um velho e empoeirado encerado do exército. Um dos gêmeos se ajoelhou perto de um balanço que rangia. A luz do teto era tão fraca que ele mal podia ler os nomes da lista. Então, ele começaria a abrir as janelas do céu:

*Senhor, salva Elmer Towns...*

*Senhor, salva Arthur Winn...*

*Senhor, salva L. J. McEwen...*

*Senhor, salva Ann Perry...*

*Senhor, salva...*

Então, o intercessor orou pelos nomes daquela lista, por sua pequena igreja e por um avivamento, e finalmente pelo mundo. "Senhor, que um desses jovens possa ser salvo e influenciar o mundo".

Em julho de 1950, os gêmeos convidaram Joel Ortendahl, amigo deles da Faculdade Bíblica de Colúmbia, para pregar uma semana sobre avivamento. No primeiro dia, o sr. e a sra. Miller foram salvos. Na noite seguinte, o sr. Miller caminhou até o púlpito da igreja para dar um testemunho: "Eu era testemunha de Jeová e passei por toda esta vizinhança testemunhando sobre Jeová. Agora descobri Jesus como meu Salvador, e ele é meu Jeová. Amém!". Gritos de "Louvado seja Deus" encheram toda aquela pequena congregação presbiteriana, de uma maneira com a qual eles não estavam acostumados. Então, a sra. Miller continuou:

"Meu marido, Ernest, nasceu judeu. Ele também se converteu na última noite. Agora ele sabe que Jesus é o Messias". "Amém... Amém!", os gritos foram duas vezes mais longos.

Aquelas novas se espalharam rapidamente na comunidade. Todos os jovens de nossa igreja começaram a visitar a igreja de Bonna Bella: Art Winn, Ann Perry, L. J. McEwen e eu, além de outros 20 membros de nossa igreja.

Quando o rev. Brian Nicholson escreveu um projeto de doutorado para o Seminário Teológico Reformado, observou que 19 jovens da igreja presbiteriana de Eastern Heights se tornaram ministros em tempo integral.[1] Um deles havia sido salvo no avivamento de Bonna Bella. Essa era apenas uma congregação representada naquela lista de 60 jovens por quem os irmãos Harding e o grupo de intercessores matinais oraram.

---

[1] Nicholson, Brian. "History of Providence Presbyterian Church, Savannah Georgia", um projeto teológico do Seminário Reformado Teológico (Jackson, Mississippi).

Por volta da terceira ou quarta noite do avivamento, um homem de meia-idade foi à frente para ser salvo. Após o culto, todos os novos convertidos se dirigiram ao público e foram apresentados a todos. O homem disse: “Vocês não precisam me apresentar, todos já me conhecem; sou o carteiro da região”. Ele disse que estava caminhando pela Avenida LaRoacha em direção à igreja presbiteriana quando sentiu um calor vindo do templo. Conforme passou pela igreja e seguiu em frente, o calor diminuiu. Isso aconteceu todos os dias durante o avivamento de oração.

Mais tarde, entendi que essa é uma atmosfera da presença de Deus. Você pode entrar em uma igreja na qual Deus está de fato trabalhando e sentir sua presença, da mesma maneira que pode sentir uma atmosfera úmida antes de começar a chover.

O carteiro disse que se sentiu impulsionado a entrar na igreja a fim de entender o que acontecia. Então, deu o testemunho: “Fui batizado em uma igreja batista quando era adolescente e desde então me tornei um professor da escola dominical e diácono; mas nesta noite foi como se eu nascesse de novo... Aleluia. Estou salvo!”. Outros presbiterianos deram gritos de “Amém!” e “Aleluia!”.

Em 25 de julho de 1950, recebi Cristo como meu Salvador. Mas não continuei minha jornada, acreditando já estar salvo. Por uma convicção posterior acerca do pecado, contudo, fui obrigado a tomar uma posição. Ninguém foi à frente naquela noite. Bill Harding se dirigiu até a mesa da santa ceia e disse: “Alguém está querendo vir à frente e entregar seu coração a Cristo, mas está relutante”.

Eu sabia que as palavras de Bill eram para mim. Ele disse: “Vá para casa e ajoelhe-se diante de sua cama, olhe para dentro de seu coração e diga: ‘Jesus, entre em meu coração e me salve’ ”.

Fiz aquela oração por volta das 11 horas daquela noite e soube instantaneamente que estava nascendo de novo. Minha vida jamais seria a mesma.

Você pode orar do mesmo jeito que aquele povo naquele salão de garagem. Você pode mudar o mundo mediante uma oração como a de Daniel. Talvez você tenha feito um voto de jejuar por uma resposta de oração específica, ou esteja reunido com outras pessoas buscando e exercendo a fé por um objetivo comunitário.

Deus ama a unidade, por isso Jesus disse a seus discípulos: "Eu lhes envio a promessa de meu Pai; mas fiquem na cidade até serem revestidos do poder do alto" (Lucas 24.49). E o que eles fizeram? "Todos eles se reuniam sempre em oração, com as mulheres, inclusive Maria, a mãe de Jesus, e com os irmãos dele" (Atos 1.14). Eles seguiram as instruções do Senhor, e o Espírito Santo encheu cada um no dia de Pentecoste (v. Atos 2.1-4).

Observe o que aconteceu quando a igreja no livro de Atos se reuniu em oração: "Depois de orarem, tremeu o lugar em que estavam reunidos" (Atos 4.31). E novamente em Atos 12.5: "Pedro, então, ficou detido na prisão, mas a igreja orava intensamente a Deus por ele".

Os mesmos resultados podem acontecer quando você separa um tempo específico para orar e quando se reúne com outros em oração para ver a glória de Deus se manifestar. Quando muitos concordam no jejum, Deus honra essa atitude de fé. "Também lhes digo que se dois de vocês concordarem na terra em qualquer assunto sobre o qual pedirem, isso lhes será feito por meu Pai que está nos céus" (Mateus 18.19).

## Meu período de oração

*Senhor, ajuda-me a juntar-me a outras pessoas para interceder por um objetivo de oração; dá-me a graça que te peço agora.*

*Que eu possa fortalecer a fé de outros, ao passo que eles, de maneira recíproca, possam fortalecer a minha; e juntos possamos jejuar e interceder por nosso objetivo de oração.*

*Senhor, venho sozinho diante de ti, mesmo quando estiver na presença de outros, pedir pelo objetivo do jejum para o qual estabeleci meu voto. Amém.*

## Minhas respostas de oração

______________________________________________

______________________________________________

______________________________________________

______________________________________________

______________________________________________

______________________________________________

Para sugestões de receitas, veja as páginas 217-231.

## 3º DIA

# Compromisso diário durante o jejum

*O jejum pode fortalecer sua fé e o aproximar de Deus,*
*ajudando-o a ser um verdadeiro vencedor em Cristo.*
*O jejum é um verdadeiro dom dado aos cristãos*
*que desejam ter mais efeito em suas orações.*

Elmer Towns

A decisão ou compromisso que você faz ou assume com Deus, ao iniciar o jejum, é verdadeiramente mais importante que o alimento que escolhe deixar de comer ou qualquer outra atividade que sacrifica para Deus.

O jejum original de Daniel é descrito da seguinte maneira: "Daniel, contudo, decidiu não se tornar impuro com a comida e com o vinho do rei, e pediu ao chefe dos oficiais permissão para se abster deles" (Daniel 1.8). A *Almeida Revista e Atualizada* diz: "Daniel resolveu", enquanto a *Almeida Revista e Corrigida* traz: "Daniel assentou [no seu coração]". Todos esses sinônimos apontam a mesma direção de mudança de vida e mudança de vontade. Seu jejum será mais efetivo se você assumir um *compromisso* de mudança de estilo de vida — que no decorrer desta leitura chamo de *voto* —, nada mais do que modificar sua alimentação e suas atividades enquanto você intercede em oração por algum propósito.

Você fez um voto original para jejuar e orar por um projeto de fé. Agora é necessário fazer uma escolha diária para continuar seu jejum.

Lembre-se sempre de que é uma escolha que envolve toda a sua personalidade: seu intelecto, suas emoções e seus desejos. Ainda que você conheça sua mente, há um porém: o conhecimento por si próprio não é suficiente para mudar a sua vida, tampouco para que você consiga atingir suas metas de oração. Você pode simplesmente agitar suas emoções nesse jejum, mas a mera empolgação muda apenas a superfície dos acontecimentos. Ou seja, você pode mudar algo — enquanto houver empolgação —, mas o que dizer sobre os "longos" propósitos? Sua vida será verdadeiramente transformada quando você tomar uma decisão baseada em seu conhecimento, e também quando suas emoções forem literalmente impactadas por um propósito de oração.

---

*Você não tem o poder de obedecer, enquanto não fizer a escolha de obedecer.*

---

Aprendi sobre o poder da escolha com meu professor da escola dominical, enquanto crescia na Igreja Presbiteriana de Eastern Heights, em Savannah, Geórgia. Meu professor, Jimmy Breland, saturava nossa mente com a Bíblia. Memorizávamos e repetíamos um versículo bíblico todos os domingos, além de memorizar o *Catecismo de Westminster para crianças* (um sumário de teologia básica). Parecia que eu havia aprendido todas as listas da Bíblia: os 12 discípulos, as 12 tribos de Israel, os 7 dias da Criação, as 10 pragas do Egito, os 22 reis de Judá, dentre vários outros agrupamentos.

Depois disso, Jimmy Breland contava histórias que mexiam com nossas emoções, outras que nos faziam rir e chorar, e algumas que me assustavam bastante com respeito ao pecado e ao inferno. Mas mexer com minhas emoções não mudaria minha vida.

Depois de contar a história de como Jacó havia desobedecido a seus pais, Jimmy nos orientou: "Levantem a mão direita e repitam comigo..."; fiz como ele pedia, repetindo:

*Eu prometo...*
*obedecer sempre a minha mãe;*
*então, me ajuda, Senhor.*

Enquanto abaixava a mão, eu me perguntava: *O que acabei de prometer?* Eu realmente tinha muita dificuldade em obedecer, como a maioria dos garotos menores. Então, examinei meu coração, perguntando a mim mesmo: *Eu obedeceria a minha mãe, não importa o motivo? Sempre?*

Nas sucessivas aulas dominicais de Jimmy Breland, levantei a mão direita e prometi não roubar no mercado, não mentir, não fumar, não beber cerveja... e muitas outras coisas.

Jimmy Breland foi o professor mais influente em toda a minha vida, pois preencheu minha mente com as Escrituras, balançou minhas emoções com histórias que me fizeram levantar a mão direita e praticar o correto como promessa a Deus.

Quando eu tinha uns 10 anos de idade, saí para um mercadinho de esquina a cerca de uma quadra de casa. Então, minha mão tocou uma caixa de Milk Way abaixo da caixa registradora. Um pensamento atravessou minha mente: *Eu poderia ter roubado aquele docinho, e a senhora que está no caixa jamais me teria visto fazê-lo.*

Naquela noite deitei na cama pensando em roubar a guloseima Milk Way. Isso é profundamente tentador para quem é pobre como minha família era na época. Raramente tínhamos dinheiro para barrinhas doces.

No dia seguinte decidi tirar a prova. Peguei um Milk Way quando a moça não estava olhando. Segurei aquela barrinha de chocolate com recheio *nougat* como um prêmio, e minhas mãos pareciam as de um beberrão que segura um copo de uísque. No entanto, coloquei a barrinha de volta e me dirigi para fora do mercadinho sem roubar nada, pensando: *Eu posso fazer isso.*

No domingo seguinte, Jimmy Breland ensinou uma lição sobre roubar e casualmente falou: "Não quero nenhum de vocês roubando Milk Ways nos mercadinhos".

*Quem lhe contara...?* Imediatamente entrei em pânico, como se estivesse sido pego logo após cometer o crime. Logo me veio o pensamento: *Não contei nada disso a ninguém. Como ele soube?* Então, concluí: *Deus contou a ele.*

Mesmo com a mente de um garoto de 10 anos de idade, eu tinha uma consciência de Deus que me trouxe enorme culpa. Percebi que Deus conhecia até as intenções mais profundas de nosso coração. E assim Jimmy Breland nos fez erguer as mãos e dizer:

*Eu prometo...*
*Jamais roubarei...*
*de um mercadinho...;*
*então, me ajuda, Senhor.*

Sem que Jimmy Breland e os outros alunos soubessem, adicionei à promessa um *Nunca roubarei um Milk Way.* Também firmei um compromisso em meu coração, tal como Daniel o fizera.

Há cinco elementos que você deve considerar para comprometer-se com Deus durante esse jejum. Se você ainda não o fez, deveria entregar a Deus os cinco seguintes bens:

*Tempo*
*Templo*
*Talento*
*Testemunho*
*Tesouro*

Primeiro, você deve prometer seu *tempo* de jejum a Deus. Prometa começar e terminar de acordo com o limite de tempo que você definiu em sua lista. Se o jejum for em grupo, cumpra o jejum tanto quanto o restante do grupo. *Senhor, prometo abster-me de alimentos e das atividades relacionadas por todo o período de jejum.*

O segundo aspecto do jejum é a respeito de seu *templo.* Você precisa comprometer-se a se alimentar de comida saudável durante o jejum. Você deve realmente submeter à saúde seu corpo, que é templo de Deus. *Senhor, entrego o meu corpo a ti. Deixarei de comer ou beber algo que seria extremamente prejudicial a meu corpo. Ficarei longe do álcool, das drogas e da glutonaria.*

A terceira parte de sua vida envolve seus *talentos.* Nesse jejum, equivale a oferecer suas habilidades de oração. Devemos ir além de tudo o que você conhecia antigamente a respeito de orar a Deus. Você deve orar de várias maneiras e em vários momentos.[1] *Senhor, prometo manter meus momentos de oração durante esse jejum. Ensina-me a orar efetivamente e ajuda-me a aprender a intimidade de tua presença.*

O quarto aspecto do seu compromisso é o *testemunho.* Aqueles que se reuniram a você durante seu propósito de oração estarão dispostos a dar ajuda. Você pode ser um encorajamento para eles, ao passo que eles também serão um encorajamento para você. Seja forte por todos os seus amigos que o estão apoiando. *Senhor, preenche*

---

1 Para aprender várias formas de oração, leia **How to Pray When You Don't Know What to Say**, de Elmer Towns, Regal Books, Ventura, Califórnia, 2006.

*minha vida com tua presença. Ajuda-me a manter meu jejum até o final. Usa meu jejum como testemunho para encorajar os outros. E que eles possam ver Cristo em mim.*

A quinta área é seu *tesouro*, ou seu dinheiro. Obviamente, você está dando dízimos e ofertas a Deus, em geral a sua própria igreja. Se não está, lembre-se do desafio de Deus: " 'Tragam o dízimo todo ao depósito do templo, para que haja alimento em minha casa. Ponham-me à prova', diz o SENHOR dos Exércitos, 'e vejam se não vou abrir as comportas dos céus e derramar sobre vocês tantas bênçãos que nem terão onde guardá-las' " (Malaquias 3.10). Lembre-se de, quando você consagra todo o seu dinheiro a Deus, ele permite que você use 90% para suas necessidades. Os 10% são usados no serviço do Senhor. *Senhor, entrego todos os meus tesouros a ti. Usa-os em teu serviço.*

À medida que prosseguir no jejum, você enfrentará muitas tentações para desistir. Lembre-se: sair do jejum é uma decisão da mesma forma que começar também foi uma decisão. De qualquer maneira, considere que a grandeza de sua decisão de iniciar o jejum compensará qualquer tentação de desistir. Há muito a perder por parar, e tudo a ganhar se você continuar até o fim. Porque você nunca saberá ao certo se Deus o abençoou em toda a plenitude se desistir antes do tempo. E nunca conhecerá a alegria de um trabalho benfeito se não se mantiver firme até o fim.

## Meu período de oração

*Senhor, propus em meu coração interceder por um objetivo de oração; não desistirei.*

*Senhor, não me renderei a meu apetite para quebrar o meu jejum. Serei forte até o fim.*

*Senhor, preciso de tua força para me fortalecer. Ajuda-me a realizar, pois "tudo posso naquele que me fortalece" (Filipenses 4.13). Amém.*

## Minhas respostas de oração

Para sugestões de receitas, veja as páginas 217-231.

❧ 4º DIA ❧

# Orando e jejuando por um objetivo

*O jejum desapareceu quase completamente da vida das pessoas hoje em dia. Jesus condenou a maneira errada de jejuar, mas nunca mencionou que o jejum deveria ser eliminado da vida cotidiana. Faríamos bem em praticá-lo de maneira pessoal, segundo nossas necessidades.*

WILLIAM BARCLAY

Você está participando do jejum por estar orando por um objetivo pessoal? Nesse caso, você não é o primeiro que jejua e ora por um objetivo. Muitos têm feito o mesmo. Analisemos a história de Esdras, que jejuou e orou por um problema particular. Vamos aprender com ele alguns princípios úteis para que nosso jejum obtenha melhores resultados.

Enquanto escrevo este capítulo, jejuo e oro pedindo a Deus que me conduza. Não jantei na noite anterior e também não tomei café da manhã nem almocei hoje. Estou trocando meu tempo de refeição pela oração por este projeto.

O livro de Esdras nos fala de como os judeus retornaram à terra prometida após passar setenta anos de cativeiro. Deus usou Nabucodonosor, rei da Babilônia, para punir o povo de Deus, primeiro por causa da idolatria dos israelitas, mas também por outros pecados que os levaram ao cativeiro. Nabucodonosor destruiu Jerusalém e levou a maioria dos judeus para a Babilônia.

Quase cem anos mais tarde, as nações da Média-Pérsia derrotaram Babilônia, e o rei Ciro da Pérsia promulgou um decreto para os judeus retornarem a sua terra natal e reconstruir seu templo. Zorobabel liderou a primeira leva de refugiados que retornou e iniciou o trabalho do templo. As nações vizinhas causaram problemas durante o retorno, e a reconstrução, embora vagarosa, conseguiu ser finalizada em 515 a.C.

Esdras, então, enfrentou um problema que parecia insuperável. O deserto era povoado por várias caravanas e tribos nômades; muitas delas eram formadas por gangues de assaltantes que atacavam outras caravanas a fim de roubar seus tesouros. Esdras confessa: "Tive vergonha de pedir soldados e cavaleiros ao rei para nos protegerem dos inimigos na estrada" (Esdras 8.22).

Esta cena lembra os trens americanos que precisavam de proteção da cavalaria ao cruzar o território dos índios no século XIX. Mas Esdras decidiu enfrentar o problema declarando: "Pois lhe tínhamos dito: 'A mão bondosa de nosso Deus está sobre todos os que o buscam, mas o seu poder e a sua ira são contra todos os que o abandonam' " (Esdras 8.22). Isso fez nascer em Esdras a necessidade de jejuar por segurança.

Esdras liderava aproximadamente 4 mil pessoas no retorno à terra natal. Aqueles judeus haviam deixado seus parentes e amigos em troca de uma quantia em dinheiro ou bens a fim de reconstruir o templo. Era uma grande oferta: "Pesei e entreguei-lhes vinte e dois mil e setecentos e cinquenta quilos de prata, três toneladas e meia de utensílios de prata, três toneladas e meia de ouro, vinte tigelas de ouro pesando oito quilos e meio, e dois utensílios finos de bronze polido, tão valiosos como se fossem de ouro" (Esdras 8.26,27).

O que você faria se deparasse com tal ameaça? Não era um problema individual, mas envolvia toda uma nação. Além disso, a casa de Deus estava em risco. Lembre-se: um problema pessoal exige um jejum pessoal; um problema familiar exige um jejum familiar; e um problema nacional exige um jejum nacional.

Que proporção do jejum você está fazendo? A obra de Deus está em risco? O crescimento espiritual está em jogo? Deus será honrado com tal propósito?

## Princípios para jejuar por um objetivo

**Passo1:** *Descubra outros que jejuarão pelo mesmo objetivo.* Em geral, quando nos engajamos em um jejum, já temos um objetivo em vista. Assim, a primeira coisa a fazer é descobrir aqueles que também estão buscando um objetivo semelhante. Você deve jejuar e orar com outros.

**Passo 2:** *Compartilhe o problema.* Se essas pessoas estiverem jejuando por determinado problema, é preciso que saibam a respeito e se envolvam com o objetivo. Esdras disse: "Ali, junto ao canal de Aava, proclamei jejum para que nos humilhássemos diante do nosso Deus e lhe pedíssemos uma viagem segura para nós e nossos filhos, com todos os nossos bens" (Esdras 8.21). Eles jejuaram porque tinham uma razão legítima para temer. Quanto maior o número de pessoas que sentem o mesmo problema, maior será o número de pessoas jejuando pelo mesmo motivo.

**Passo 3:** *Jejue com seriedade.* Esdras comunicou a seriedade do problema ao povo. Então, ao entenderem o perigo, eles desejaram jejuar e orar por proteção. Esdras os desafiou "para que nos humilhássemos diante do nosso Deus" (Esdras 8.21) O verbo "humilhar-nos" nesse versículo contém a ideia de angústia, tristeza, arrependimento. Quando os israelitas jejuavam, em geral estavam passando por alguma ameaça muito grande, uma tragédia natural ou uma peste. Portanto, jejuar para eles não era uma carga, mas um alívio.

---

**Jejuar produz**

*Introspecção espiritual*

*Autoexame espiritual*

*Confissão espiritual*

*Intercessão espiritual*

---

**Passo 4:** *Jejue antes de tentar solucionar a questão.* Normalmente esperamos um problema se formar e então lutamos com todas as forças para sair desse problema de qualquer maneira. Emprestamos dinheiro, pedimos que amigos nos ajudem, trabalhamos além do horário, cortamos despesas. Se nada disso resolve, então oramos acerca do problema. Finalmente, quando a oração parece não funcionar, é aí que jejuamos, elevando a oração a um patamar mais alto.

Jejuar não deve ser a última coisa a ser tentada, já em desespero. Não! Devemos orar sobre um problema antes mesmo que ele se torne um grande problema. Necessitamos de alguns *jejuns defensivos*. Esdras fez algo antes mesmo de tentar resolver o problema: "Eu os reuni junto ao canal que corre para Aava e acampamos ali por três dias. Quando passei em revista o povo e os sacerdotes, não encontrei nenhum levita" (Esdras 8.15). Note algumas coisas que Esdras não fez:

Ele não jejuou enquanto viajava.

Ele não jejuou sozinho antes de reunir o povo.

Ele não tentou resolver o problema antes de jejuar.

Tudo isso sugere que você precisa reconhecer a natureza espiritual do problema antes de tentar resolvê-lo. De fato, devemos desenvolver uma "mentalidade do jejum", o que significa desenvolver uma atitude de dependência de Deus para todas as ocasiões em que não estivermos jejuando.

*Passo 5: Jejue por um alvo claro.* Um novo movimento chamado "caminhando e orando" está sendo desenvolvido entre os cristãos modernos. É orar por um alvo claro. Significa orar mais seriamente ao pensar ou antever uma solução em sua mente.

---

*Quando você está em uma situação de necessidade, ora com mais intensidade.*

---

Na verdade, essa é uma prática observada nas Escrituras. Deus ordenou que Abraão orasse em seu caminho rumo à terra prometida que ele — o Senhor Deus — de fato lhe daria (v. Gênesis 13.17). Também a Josué foi ordenado caminhar em torno da cidade por sete dias e, então, mais sete vezes no sétimo dia. O mesmo Josué também recebeu ordens para visitar a terra que estava prestes a ser conquistada (v. Josué 1.3-9).

Esdras levou o povo a encarar frente a frente seus problemas, ou seja, às margens do rio Aava, antes que eles se lançassem pelo deserto. Talvez após depararem com o deserto por três dias, o povo seria bem mais desafiado ao jejum e à oração. "Perto do canal do Aava, proclamei um jejum, pois era hora de demonstrar humildade diante do nosso Deus e de orar por sua orientação e proteção na viagem" (Esdras 8.21).

**Passo 6:** *Jejue e ore por direcionamento.* Os israelitas jejuaram antes de enfrentar o problema, quando poderiam pensar e planejar por si mesmos de forma mais racional. Mas, no meio do problema, nós em geral não conseguimos pensar de maneira acurada ou inteligente.

Se você puder subdividir um grande problema em diferentes questões, provavelmente poderá resolver os pequenos problemas de maneira mais fácil e ágil. Portanto, faça isso antes que um problema o cerque ou você se encontre afogado no mar Vermelho.

Antes que o problema alcance você, ore não apenas por uma solução final para o problema, mas também pelo direcionamento de Deus em meio a cada passo para solucionar os pequenos problemas no caminho. Esdras poderia ter tomado muitas rotas a caminho de Jerusalém; da mesma maneira, há mais de um caminho para resolver seus problemas. Provavelmente, algumas estradas eram bem mais movimentadas que outras; algumas eram mais usadas por soldados ou pequenas tribos que poderiam ajudar na defesa contra os ladrões; como resultado, algumas rotas eram mais seguras que outras. Esdras clamou por um jejum (v. Esdras 8.21). A Bíblia ensina que a soberania de Deus nos direciona em nossos caminhos, mas devemos usar nosso bom senso ao longo do caminho. "Em seu coração o homem planeja o seu caminho, mas o Senhor determina os seus passos!" (Provérbios 16.9).

Portanto, o que Esdras poderia conseguir em seu empreendimento no jejum? "Por isso jejuamos e suplicamos essa bênção ao nosso Deus, e ele nos atendeu" (Esdras 8.23).

**Passo 7:** *Use o bom senso.* Esdras levava uma tremenda quantia em dinheiro para Jerusalém. Mas o dinheiro não era dele, nem pertencia aos que o acompanhavam na viagem. Era dinheiro de Deus. Assim, Esdras usou de estultícia. Dividiu o dinheiro entre os viajantes, de maneira que cada um levou determinada quantia. Caso fossem atacados, Esdras raciocinou, ao menos aqueles que conseguissem escapar poderiam levar o dinheiro de Deus até Jerusalém.

> e pesei diante deles a oferta de prata e de ouro e os utensílios que o rei, seus conselheiros, seus oficiais e todo o Israel ali presente tinham doado para a casa de nosso Deus. Pesei e entreguei-lhes vinte e dois

> mil e setecentos e cinquenta quilos de prata, três toneladas e meia de utensílios de prata, três toneladas e meia de ouro, vinte tigelas de ouro pesando oito quilos e meio, e dois utensílios finos de bronze polido, tão valiosos como se fossem de ouro. (Esdras 8.25-27)

Esdras encarregou aqueles com o dinheiro de Deus: "Tanto vocês como estes utensílios estão consagrados ao Senhor" (Esdras 8.28). Lembrou-os de que o dinheiro pertencia ao Senhor, e foi assim que eles agiram.

O bom senso de Esdras apelou à responsabilidade daqueles que transportavam o dinheiro de Deus. É fácil para quem lida com o dinheiro de Deus usá-lo de forma errônea, ou usá-lo para seus próprios propósitos ou até mesmo em causa própria (o roubo é algo que começa no coração, não nos dedos). Quando o povo chegou a Jerusalém, o dinheiro foi conferido: "Tudo foi contado e pesado, e o peso total foi registrado naquela mesma hora" (Esdras 8.34).

O fato de Esdras ser um homem espiritual não queria dizer que fosse ingênuo. Uma caixa registradora faz que os empregados sejam honestos. Dois ou mais contadores de ofertas da igreja faz que as pessoas tenham confiança neles e, por fim, em Deus. O que de fato aconteceu a Esdras e ao povo? "Por isso jejuamos e suplicamos essa bênção ao nosso Deus, e ele nos atendeu" (Esdras 8.23).

## Meu período de oração

*Senhor, jejuarei por objetivos grandes antes de tentar realizá-los.*

*Senhor, quero examinar todos os fatos e tentar entender o problema.*
*Então, pedirei que tu me dês entendimento para resolver meus problemas.*

*Senhor, quero aprender a transformar os grandes*
*problemas em pequenos problemas.*

*Senhor, amarei todas as pessoas; mas, quando o assunto for dinheiro, quero fazer delas pessoas responsáveis, pois desejo que sejam honestas.*

*Senhor, vou jejuar e regozijar-me em tua bondade quando meu jejum acabar e eu for honrado pelo fato de teres respondido a minha oração. Amém.*

## Minhas respostas de oração

______________________________

______________________________

______________________________

______________________________

______________________________

______________________________

Para sugestões de receitas, veja as páginas 217-231.

## ☙ 5º DIA ❧

# Benefícios do jejum prolongado

*Naquela ocasião eu, Daniel, passei três semanas chorando. Não comi nada saboroso; carne e vinho nem provei; e não usei nenhuma essência aromática, até se passarem as três semanas.*

Daniel 10.2,3

Por quanto tempo você deve jejuar? Alguns jejuam por um dia; outros, por dez dias; alguns, por vinte e um dias; e outros poucos, por quarenta dias.

Eu jejuo regularmente, na sequência de jejum do Antigo Testamento, isto é, do anoitecer de um dia até o anoitecer do dia posterior. Esse período é chamado de jejum do *Yom Kippur*, para todos os judeus ordenados a cumpri-lo: "No dia 10 do sétimo mês, tanto o natural quanto o estrangeiro residente farão um jejum solene e se absterão de todo trabalho" (Levítico 16.29, *A Mensagem*[1]). Os judeus receberam essa orientação diretamente de Deus, o qual declarou na Criação: "Passaram-se a tarde e a manhã; esse foi o primeiro dia" (Gênesis 1.5).

---

[1] **A Mensagem: Bíblia em Linguagem Contemporânea. São Paulo: Vida, 2011.**

Geralmente, quanto mais terrível é o problema, maior é o tempo que dedico ao jejum. Quando enfrento uma necessidade muito grande, jejuo mais do que um dia. Meu jejum de um dia é apenas para aprofundar minha intimidade com Deus.

O jejum segundo Daniel é feito em geral em dez ou vinte e um dias. Em ambas as ocasiões, Daniel enfrentou um grande desafio e reagiu com um grande compromisso de oração.

No primeiro jejum, Daniel desafiou um oficial babilônico superior: "Peço-lhe que faça uma experiência com os seus servos durante dez dias: Não nos dê nada além de vegetais para comer e água para beber" (Daniel 1.12).

Daniel descreve mais tarde (provavelmente por volta de seus 90 anos) um jejum de vinte e um dias: "Naquela ocasião eu, Daniel, passei três semanas chorando. Não comi nada saboroso; carne e vinho nem provei; e não usei nenhuma essência aromática, até se passarem as três semanas" (Daniel 10.2,3).

Ao que tudo indica, na primeira vez em que Daniel jejuou durante dez dias, o tempo foi determinado por ele. O segundo jejum parece refletir um período dedicado à oração, humilhação e busca de Deus por determinada resposta. Um anjo foi enviado a Daniel no 21º dia, dizendo: "Não tenha medo, Daniel. Desde o primeiro dia em que você decidiu buscar entendimento e humilhar-se diante do seu Deus, suas palavras foram ouvidas, e eu vim em resposta a elas" (Daniel 10.12).

Provavelmente você jejuará com um grupo de sua igreja ou de qualquer outra organização. Alguém deve definir o tempo do jejum, ou por dez dias ou por vinte e um dias. (Deus não medirá o sucesso de seu jejum de acordo com a quantidade de dias. Deus olha para a qualidade do tempo que você passa na presença dele e, então, o recompensa pela natureza bíblica de sua intercessão.)

Seja qual for o tempo de seu jejum, cumpra-o com bom grado e em submissão a sua liderança espiritual (v. Hebreus 13.17). Nunca murmure acerca da duração de qualquer outro aspecto para o qual o seu grupo estiver praticando o jejum. *Senhor, jejuarei com todas as forças até o fim.*

### Os benefícios de um jejum prolongado

Em primeiro lugar, quero perguntar quão sério é o alvo do jejum pelo qual você está orando. Caso seja algo de extrema importância, obviamente você desejará investir o maior tempo possível na oração, a fim de se certificar de que Deus o escuta e o ouve. Algumas vezes Deus não responde a uma oração soprada em desespero, naqueles momentos em que tentamos forçá-lo a cumprir nossa agenda.

Sim, Jesus ouviu as orações desesperadas de Pedro, quando o discípulo afundava sob as ondas tempestuosas. A oração de Pedro por auxílio estava carregada de desespero, pois se tratava de uma ameaça de morte. Obviamente, uma oração feita de forma apressada tem seu efeito, mas provavelmente precisamos orar por um tempo maior quando os problemas são mais intensos. Por quê? Porque alguns problemas levam um tempo bem maior para serem resolvidos. Então, pergunte a si mesmo: *Qual a gravidade deste problema?* Caso seja tão sério e imperativo, comprometa-se com um período de vinte e um ou de dez dias e determine-se a levar esse compromisso até o fim.

Em segundo lugar, sua oração crescerá em intensidade conforme o tempo de jejum se desenrola. Você desenvolverá mais sua fé com o passar do tempo. Jejuar por dez ou vinte e um dias será como correr em uma maratona; quanto mais perto você estiver da linha de chegada, mais sua adrenalina fluirá e servirá de propulsão para você finalizar a corrida.

Conforme você avança no jejum, provavelmente se manterá com os outros desde o início. Geralmente, tendemos a esmorecer um pouco no meio do jejum, mas, quando os últimos dias chegam, aumenta a intensidade das orações. Talvez isso ocorra pelo dinheiro que começa a aparecer, ou uma pessoa doente que começa a ser curada, ou qualquer outro progresso que começa a ser notado para o alvo proposto. Como em qualquer sucesso, você começa a motivar-se para orar de forma mais profunda ou com mais intensidade em direção ao final de seu jejum.

Às vezes, porém, há pouco ou nenhum progresso em direção ao objetivo do jejum. Nessa hora é que alguns ficam desencorajados e desistem. Se nada acontece, alguns perdem a intensidade da oração. A natureza humana é assim mesmo; alguns necessitam de estímulo para se manter em oração ou mesmo para continuar no jejum até o fim.

Lembre-se, porém, de que você não fez um voto para um grupo ou para uma igreja. Seu voto de fé para com o jejum foi feito a Deus. Você não acha que Deus conhecia o sucesso do projeto antes mesmo de você fazer seu pedido? Portanto, jejue até o final de seu compromisso firmado com Deus.

E ainda há outro fator: seja franco consigo mesmo. Se você se comprometeu por dez ou por vinte e um dias, deve isso a sua integridade, portanto mantenha sua palavra. Se você desistir tão facilmente, sua autopercepção estará comprometida e sua autodeterminação acabará enfraquecida. Você talvez não consiga manter sua palavra em outras promessas que nada tenham a ver com o jejum.

Há uma terceira razão que faz você separar um longo tempo para jejuar. É preciso tempo para que a fé cresça. Quanto mais você ora a respeito de um objetivo, mais afiada se torna sua fé.

Olhe para Abraão! Quando Deus o chamou pela primeira vez e prometeu construir uma nação por meio de seus filhos, a Bíblia o descreve como aquele que não enfraqueceu na fé (Romanos 4.19). Ele não foi até o Egito e até permitiu que sua esposa fosse levada para a corte do Faraó? Não cometeu o erro de se comprometer com Hagar, uma concubina egípcia?

Deus, porém, pacientemente fortaleceu a fé de Abraão de maneira que ele creu que Deus poderia fazer aquilo que havia prometido. "Sem se enfraquecer na fé, Abraão reconheceu que o seu corpo já estava sem vitalidade, pois já contava cerca de cem anos de idade, e que também o ventre de Sara já estava sem vigor" (Romanos 4.19,20).

Talvez você tenha fraqueza de fé ao iniciar seu jejum. Mas conforme prossegue — dia após dia —, perceberá que sua fé estará sendo fortalecida conforme você aprende a orar de maneira mais intensa.

Em outra passagem, Paulo lembra que nossa fé deve mover-se de um patamar a outro mais alto: "Porque no evangelho é revelada a justiça de Deus, uma justiça que do princípio ao fim é pela fé, como está escrito: 'O justo viverá pela fé' " (Romanos 1.17).

Assim, por que jejuar por dez dias, ou até por vinte e um dias? Você provavelmente iniciará seu jejum com uma fé bem imatura. Talvez tudo o que você saiba com certeza é que Jesus o salvou, que Deus é seu Pai e o Espírito Santo é quem o conduz. Mas você pode crescer a ponto de tornar-se um profundo intercessor, conhecendo bem mais intimamente Deus à medida que jejua e ora. Você pode crescer "de fé em fé" no jejum. Talvez leve os vinte e um dias até que você obtenha uma fé a ponto de orar intensamente.

Caso sua fé seja fraca (v. Romanos 14.1), comece a orar todos os dias, como aquele pai que não tinha muita fé para curar seu filho, mas queria ver seu filho curado. Ele orou: "Imediatamente o pai do menino exclamou: 'Creio, ajuda-me a vencer a minha incredulidade!' " (Marcos 9.24).

Uma quarta razão para jejuar por um tempo bem longo é que o objetivo do jejum pode ganhar amplitude em sua mente. Caso o objetivo tenha sido estabelecido por outra pessoa, o peso sobre você não é tão grande quanto é sobre o líder de seu grupo, ou sobre seu pastor. Talvez você esteja jejuando por um novo santuário para a igreja ou por um projeto evangelístico, ou por qualquer outro objetivo. Quando outras pessoas estabelecem um objetivo, não é tão profundo como quando você está jejuando e orando por algo para si mesmo — especialmente quando se trata de seu ministério pessoal.

Assim, um tempo mais prolongado de jejum e oração pode contribuir para que o objetivo se firme em seu coração. Você provavelmente sentirá um peso crescente conforme avança no jejum. Pode levar um tempo até Deus falar em seu coração e mostrar a você a importância do objetivo.

Quanto mais tempo você orar pelo objetivo proposto, mais claramente verá quanto Deus usará seu alvo para expandir seu Reino e glorificar a si mesmo.

Mantenha seus olhos abertos conforme você ora sobre seu objetivo. Se possível, vá até o local e caminhe na área pela qual você está orando. Eu chamo isso de oração geográfica. Deus pode usar as circunstâncias do local de seu objetivo de fé para intensificar a urgência de sua oração.

Há outra coisa que a oração geográfica faz por você. Ela reaviva sua memória de curto prazo. Muitas lembranças vêm à tona quando oramos no local para o qual estamos fazendo uma petição. Você pode ter sido salvo no altar de oração, ou Deus pode ter redirecionado sua vida naquele lugar.

O quinto benefício de um jejum prolongado é que, em geral, leva tempo para você detectar pecado em sua vida e lidar com isso por intermédio do sangue de Cristo. Talvez haja pecados escondidos em seu coração, ou você pode estar cego para um pecado relativamente óbvio.

Lembre-se: "Se eu acalentasse o pecado no coração, o Senhor não me ouviria" (Salmos 66.18). Em razão do fato de que em geral justificamos nossos pecados, não vemos oculto em nosso coração o pecado que prejudica nossas respostas de oração.

Se você verdadeiramente busca a presença de Deus, observe: "Sabemos que Deus não ouve pecadores, mas ouve o homem que o teme e pratica a sua vontade" (João 9.31) e "Mas as suas maldades separaram vocês do seu Deus; os seus pecados esconderam de vocês o rosto dele, e por isso ele não os ouvirá" (Isaías 59.2).

Lembre-se de que um inimigo se opõe a você. Satanás não quer que você obtenha respostas às orações. Ele não quer que você sinta prazer na intimidade com Deus. Satanás o cega para você pecar de tal maneira que você não se arrependa mais por ações pecaminosas. Ele usa uma cegueira satânica a fim de o manter em sua prisão: "O deus desta era cegou o entendimento dos descrentes, para que não vejam a luz do evangelho da glória de Cristo, que é a imagem de Deus" (2Coríntios 4.4).

Por isso você precisa orar com Davi: "Sonda-me, ó Deus, e conhece o meu coração; prova-me, e conhece as minhas inquietações. Vê se em minha conduta algo te ofende, e dirige-me pelo caminho eterno" (Salmos 139.23,24). Pode levar um tempo para Deus revelar a você algum pecado escondido que bloqueia as bênçãos dele sobre a sua vida.

Você pode ter certeza de que, se pedir a Deus para mostrar um pecado, ele assim o fará: "Portanto, não tenham medo deles. Não há nada escondido que não venha a ser revelado, nem oculto que não venha a se tornar conhecido" (Mateus 10.26). No entanto, não fique tão impaciente se Deus não responder a sua oração na primeira vez em que você fizer o jejum. Pode levar todos os dez dias ou talvez os vinte e um dias.

Por fim, a sexta razão para que você faça um jejum mais longo é que buscar e alcançar Deus leva certo tempo. Quando você procura algo é porque o perdeu e precisa reencontrá-lo. A procura sugere um desejo profundo de nossa parte.

Às vezes Deus não se faz perceber de forma tão instantânea. O salmista em determinado momento exclama: "Por que escondes o teu rosto?" (Salmos 44.24). Talvez Deus se esconda para ver se você quer realmente descobri-lo.

## Meu período de oração

*Senhor, abre meus olhos espirituais ao longo deste jejum,*
*de maneira que, ao finalizá-lo, eu possa estar conhecendo*
*bem melhor a ti do que quando o iniciei.*

*Senhor, assim como me prostro em tua presença, revela-me qualquer pecado escondido que eu tenha em meu coração, o qual pode impedir minha oração.*

*Senhor, dá-me um coração resoluto para orar*
*continuamente e com sinceridade e fé.*

*Senhor, ajuda-me a não desistir de meu voto até*
*o final deste jejum. Amém.*

## Minhas respostas de oração

________________________________________

________________________________________

________________________________________

________________________________________

________________________________________

________________________________________

Para sugestões de receitas, veja as páginas 217-231.

## ❧ 6º DIA ❧

# Dizendo não em oração

*O jejum é a mais poderosa de todas as disciplinas cristãs. Por meio de jejum e oração o Espírito Santo pode transformar sua vida. O jejum e a oração também podem operar em grande escala. Segundo as Escrituras, a experiência pessoal e a observação, creio que, quando o povo de Deus jejua com um firme propósito bíblico — procura a face de Deus, não sua mão —, com quebrantamento, arrependimento e espírito contrito, Deus ouve do céu e sara nossa vida, nossas igrejas, nossas comunidades, nossa nação e nosso mundo. O jejum e a oração podem trazer despertamento — uma mudança de rumo em nossa nação, nas nações da terra e no cumprimento da Grande Comissão.*

BILL BRIGHT

A palavra "humilhar" está vinculada ao jejum em várias ocasiões. A primeira vez que o povo de Deus é conclamado a um jejum está registrada em Levítico 16.29: "Este é um decreto perpétuo para vocês: No décimo dia do sétimo mês vocês se humilharão e não poderão realizar trabalho algum, nem o natural da terra, nem o estrangeiro residente". A versão *A Mensagem* diz: "Este deve ser o procedimento padrão entre vocês, uma ordenação perpétua. No dia 10 do sétimo mês, tanto o natural da terra quanto o estrangeiro residente farão um jejum solene e se absterão de todo o trabalho". A *Almeida Revista e*

*Atualizada* traduz da seguinte forma: "Isso vos será por estatuto perpétuo: no sétimo mês, aos dez dias do mês, afligireis a vossa alma e nenhuma obra fareis, nem o natural nem o estrangeiro que peregrina entre vós". O verbo "afligir" é constantemente relacionado ao jejum (v. Levítico 16.29, 34; Números 29.7; Isaías 58.3,5).

O termo "afligir" lexicalmente significa "causar desgraça, provocar angústia ou sofrimento".[1] Por isso, quando você desiste de algo prazeroso, sente desconforto ou angústia. Então, por que jejuamos? Não é porque amamos a dor. Fazemos isso por uma razão espiritual, a fim de orar mais fervorosamente por um objetivo de fé. Quando nos afligimos, não praticamos atos masoquistas ou nos castigamos com chicotes, nem punimos a carne para mantê-la submissa a Deus.

Quando nos afligimos, dizemos não à carne pecaminosa. É outra forma de expressarmos arrependimento. Afligir-nos expressa o desejo de livrar nossa vida das coisas pecaminosas. É uma forma de lidarmos com o pecado.

Por que "afligir-nos"? Algumas vezes preferimos pecar a servir a Deus. Preferimos pensar em nosso pecado a meditar em Deus. Por isso devemos arrepender-nos de nossas ações. Além disso, a palavra "arrependimento" também significa "abandonar".

Por isso, quando jejuamos, oramos e nos afligimos, dizemos não a nossos pecados de forma antecipada e dizemos sim a Deus e a sua vontade para nossa vida. Algumas vezes nos tornamos cegos com relação a nosso pecado. Uma atitude errada se enraíza em nossa mente e não é reconhecida imediatamente como pecado. Esse é o caminho pelo qual o devorador entra em uma casa — sem ser notado.

Um vizinho meu, cerca de quinze anos atrás, descobriu que algumas cobras haviam rastejado por baixo dos muros de sua casa em

---

[1] V. <http://www.merriam-webster.com/dictionary/AFFLICT>, s.v. "afflict". Acesso em: 17 jul. 2009.

direção ao sótão. Ele matou uma ou duas cobras usando armadilhas, mas descobriu outras. Então, teve de lidar com o problema. Mudou--se por quase uma semana, colocou uma tenda sobre a casa e envenenou as cobras (e muitos outros insetos). Tomou uma ação drástica para resolver um problema grave.

O pecado oculto entra secretamente em nossa vida. Destrói nossa caminhada em direção a Deus e desgasta nosso caráter cristão. Por isso, quando nos "afligimos" por meio do jejum, temos a oportunidade de expor nosso pecado sem máscaras diante de Deus.

Também nos afligimos com coisas boas. Fizemos um voto de nos abster de certas coisas para o jejum. Talvez você tenha desistido de uma ou duas refeições um dia. Talvez esteja comendo somente vegetais ou tenha abandonado algumas outras práticas. Provavelmente, as coisas que você deixou de lado são boas. Você não desistiu delas porque são pecaminosas; e provavelmente essas coisas boas não têm um controle pecaminoso em sua vida.

Desse modo, por que desistimos das coisas boas? Nós nos "afligimos" tanto a ponto de pôr Deus em primeiro lugar em nossa vida. Dizemos não às coisas boas para dizer sim a coisas melhores ainda.

Tecnicamente, a palavra hebraica para jejum é *tsom*, que significa perda de apetite. Suponha que você tenha atendido a um telefonema dizendo que sua esposa está em uma sala de emergência no hospital.

Em sua pressa de ir para lá, você percebe que esqueceu o horário de almoço. Você se atiraria pela janela do carro à procura de um hambúrguer ou refrigerante? Não! A emergência acabaria com seu apetite; você nem sequer se lembraria de comer. Esse é o verdadeiro significado de afligir-se por um fardo espiritual. Você nem mesmo pensa em comer.

O jejum também é identificado nas Escrituras com uma assembleia solene. Quando pessoas feridas estão participando de alguma "reunião de quebrantamento", não é o momento de louvar ou adorar a Deus. Nem é o momento de cantar salmos sobre a grandeza de Deus, ou de ser instruído na Palavra. Uma assembleia solene é um momento de confessar os pecados e arrepender-se. Esse tipo de encontro dura horas com o povo suplicando que Deus o perdoe e o restaure. O livro de Joel explica a seriedade de um quebrantamento:

> "Agora, porém", declara o SENHOR,
> "voltem-se para mim
> de todo o coração,
> com jejum, lamento e pranto.
> Rasguem o coração, e não as vestes.
> Voltem-se para o SENHOR,
> o seu Deus,
> pois ele é misericordioso e compassivo,
> muito paciente e cheio de amor;
> arrepende-se, e não envia a desgraça.
>
> (Joel 2.12,13).

Antes de estabelecer qualquer base crível pela resposta de Deus a nossas orações, devemos estabelecer caráter interior. Sabemos disso ao examinar nosso coração quando jejuamos diante de Deus.

Também devemos lidar com nosso orgulho. Quando jejuamos para a glória de Deus, podemos dizer não a nosso próprio desejo para sermos o número um. Jesus disse: "Busquem, pois, em primeiro lugar o Reino de Deus e a sua justiça, e todas essas coisas lhes serão acrescentadas" (Mateus 6.33). Assim, as coisas boas que Deus nos dá podem ser as coisas das quais desistimos por uma única razão.

---

*Quando você assume o controle de seu corpo carnal por meio do jejum, começa a assumir o controle de seu ser interior.*

---

Duas coisas deveriam acontecer quando você diz não. O arrependimento negativo é aquele do qual você se abstém. Você abandona o pecado. Cristo dá a você o poder de dizer não, quer a alguma coisa pecaminosa, quer a algo tão bom quanto uma ou duas refeições num dia. Mas há uma ação positiva. Lembre-se: "Tudo posso naquele que me fortalece" (Filipenses 4.13).

Cristo está em seu coração por causa da salvação. Portanto, você depende de sua proteção interior e da força divina para completar seu jejum. "Mas graças a Deus, que sempre nos conduz vitoriosamente em Cristo e por nosso intermédio exala em todo lugar a fragrância do seu conhecimento" (2Coríntios 2.14). Quando você diz não a algumas coisas boas, está reafirmando quem manda em sua vida. Em geral, achamos que devemos fazer três ou quatro refeições ao dia, ou que merecemos esse ou aquele entretenimento, ou que todos agem assim, então por que nós não o faríamos? Embora essas coisas sejam boas e não haja nada errado com elas, a questão é: Quem está comandando sua vida? É outra maneira de perguntar: Quem está sentado no trono do seu coração? Esteja certo de que:

---

*Quando você desiste de algumas coisas boas na vida, as substitui por Deus, que é o melhor para sua vida.*

---

## Meu período de oração

*Senhor, desistirei das coisas boas para buscar a ti em minha vida.*

*Senhor, quando eu jejuar, mostra-me alguma atitude ou ação pecaminosa que esteja escondida em minha vida. Direi não a ela e me arrependerei.*

*Senhor, as coisas boas das quais desisti não podem ser comparadas ao maravilhoso privilégio de me alegrar em tua presença. Amém.*

## Minhas respostas de oração

Para sugestões de receitas, veja as páginas 217-231.

## ❧ 7º DIA ❧

# A persistência no jejum

*Alguns pensam que jejuar pertence à antiga dispensação; no entanto, quando analisamos Atos 14.23 e Atos 13.2,3, descobrimos que o jejum era praticado pelos principais líderes nos tempos apostólicos; caso pudéssemos orar com poder, deveríamos orar com jejum. Isso, é claro, não significa que devemos jejuar todas as vezes que oramos; mas há tempos de emergência ou crises específicas no trabalho ou na vida particular, em que pessoas quebrantadas se isentam até de seus apetites pessoais, que seriam perfeitamente aceitáveis em outras circunstâncias, e se entregam completamente à oração. Há um poder peculiar em tais orações. Toda grande crise na vida e no trabalho deve ser enfrentada dessa maneira. O fato de abandonar algumas coisas num ato puramente farisaico não agrada a Deus, mas há um poder na humilhação e na determinação de obter, por intermédio da oração, coisas de que realmente precisamos, que nos levam a colocar de lado qualquer outra coisa, até mesmo as aparentemente mais certas e necessárias, e a mover nossa face apenas para buscar a Deus e obter suas bênçãos.*

R. A. Torrey

Na vida moderna diversas distrações nos afastam da oração. Algumas delas são coisas boas que apenas nos impedem de orar. Parece que a televisão está sempre apresentando um novo desastre, ou vendendo algo interessante, ou clamando por nossa atenção.

Em toda parte o celular nos interrompe ou ouvimos alto-falantes atrás de nossas orelhas interrompendo nossos pensamentos. Com tudo isso, quando conseguimos algum espaço para conversar com Deus? Como ouvir Deus quando tantas vozes competem para chamar nossa atenção? Como nos manter em oração quando parece que tudo clama por espaço em nossa mente?

Ao jejuar, você se "desfaz" da turbulência da vida para se refazer em comunhão com Deus. Você busca uma quietude durante os três momentos de refeições diárias, prestando atenção à Palavra de Deus e a sua voz interior. Seu projeto de jejum é um tempo perfeito para buscar a Deus com relação a um objetivo que você almeja.

Jesus conta a história de um homem que estava dormindo quando um próximo bate em sua porta desesperadamente a fim de obter um pedaço de pão no meio da noite. O homem pede para ser deixado em paz, explica que está dormindo, assim como também está toda a sua família. O vizinho continua importunando até que conseguiu o pedaço de pão. Jesus conclui:

> "Eu lhes digo: Embora ele não se levante para dar-lhe o pão por ser seu amigo, por causa da importunação se levantará e lhe dará tudo o que precisar. Por isso lhes digo: Peçam, e lhes será dado; busquem, e encontrarão; batam, e a porta lhes será aberta. Pois todo o que pede, recebe; o que busca, encontra; e àquele que bate, a porta será aberta" (Lucas 11.8,9).

Note que Jesus nos ordenou que pedíssemos, buscássemos e batêssemos. Essas três ações envolvem persistência, expressa de diferentes modos. Pedir é usar palavras para conseguir algo que você quer. Buscar é usar os pés para ir aonde o prêmio está localizado. Bater é usar todo o corpo e toda a mente para encontrar o que está escondido. Pense por que nós, pais, escondemos algumas coisas de nossos filhos.

Escondemos ovos de Páscoa para que eles tenham o gosto da descoberta. Talvez seja por esse motivo que Deus quer que você jejue e ore por dez ou vinte e um dias.

Os pais escondem os presentes de Natal até o momento certo, pois sabem que os filhos apreciarão o presente de forma apropriada. Assim, você talvez tenha de orar todos os vinte e um dias para receber e apreciar seu objetivo de fé.

Deus talvez queira que você ore por um objetivo durante dez ou até vinte e um dias. Por quê? Porque o Senhor honra as orações persistentes. Não leve em consideração fadigas, obstáculos, desencorajamento ou dúvidas; mantenha-se em oração. Ao entrar na presença de Deus com um forte desejo, esteja determinado a orar até o fim. Deus honrará sua determinação e sua fé.

Wesley L. Duwel, em seu livro *Prevailing Prayer* [Oração perseverante], oferece ideias profundas acerca da oração persistente:

> Perseverar é obter o sucesso diante das dificuldades, para completar algo até o fim, encerrar uma tarefa e botar nela um ponto final. Oração perseverante é aquela que nos empurra em direção a todas as dificuldades e todos os obstáculos e esvanece todas as forças contrárias de Satã, e nos assegura de estarmos fazendo a vontade de Deus. Seu propósito é cumprir a vontade de Deus aqui na terra. A oração perseverante não apenas toma a iniciativa, mas continua atuante na busca por Deus até que a vitória espiritual seja conquistada.[1]

Por que devemos perseverar? Porque Deus sabe que a carne é fraca e que a tendência humana é desistir. Uma noite antes de morrer, Jesus reuniu seus discípulos no jardim de Getsêmani para orar: "Fiquem aqui e vigiem comigo" (Mateus 26.38). O que Jesus lhes diz, então, ao encontrá-los dormindo? " 'Vocês não puderam vigiar comigo

---

1 DUWEL, Wesley L. **Prevailing Prayer.** Grand Rapids, MI: Zondervan, 1990.

nem por uma hora?', perguntou ele a Pedro. 'Vigiem e orem para que não caiam em tentação. O espírito está pronto, mas a carne é fraca' " (Mateus 26.40,41).

Jesus sabe que seu corpo físico não é treinado para um jejum de dez ou de vinte e um dias. Ele o ajudará a cumprir esse compromisso, caso você ore e peça que ele o fortaleça: "Tudo posso naquele que me fortalece" (Filipenses 4.13). Portanto, inicie este jejum com o compromisso de concluí-lo.

Deus pode não responder a sua oração de forma imediata, pois, se der uma resposta tão rápida, você talvez não faça uma oração futura por algum outro objetivo. Respostas rápidas podem conduzir a orações superficiais. Em vez disso, Deus espera para testar nossas resoluções. O sucesso de uma oração persistente nos ensina a sermos persistentes nas próximas orações.

Precisamos orar de forma mais prolongada e com todo o coração, pois estamos em uma batalha espiritual. A vida cristã não é como um momento de cafezinho; é como uma luta romana ou um campo de batalha. É uma questão de vida ou morte. Há um inimigo, Satanás, que opõe-se à obra de Deus; e, quando você jejua e ora por algum objetivo de fé, Satanás se opõe a você. Então, permaneça em oração. A questão é: "Quem vencerá — Deus ou Satanás?". Portanto, ore em meio aos obstáculos e em meio aos desencorajamentos, pois Jesus nos estimula: "Então Jesus contou aos seus discípulos uma parábola, para mostrar-lhes que eles deviam orar sempre e nunca desanimar" (Lucas 18.1).

Paulo nos lembra: "pois a nossa luta não é contra seres humanos, mas contra os poderes e autoridades, contra os dominadores deste mundo de trevas, contra as forças espirituais do mal nas regiões celestiais" (Efésios 6.12). Todavia, algumas questões demandam nossa dedicação completa até o término de nosso jejum. Lembre-se de que estes são os votos que você fez:

Voto de abstinência

Voto de tempo

Voto da mente

Voto de oração

Voto de fé

Algumas vezes você ora de maneira prolongada para combater a obra do inimigo. Algumas vezes ora de maneira prolongada para obter um tempo a fim de que Deus possa organizar as coisas de modo que as respostas surjam. Caso você esteja orando para chover (v. Tiago 5.17,18), leva certo tempo para que o tempo vire. Se você está orando por dinheiro, leva certo tempo para que algum coração benevolente apareça e assine um cheque; e todos riem sobre a morosidade dos correios.

Assim, novamente, lembre-se do *princípio do aprendizado,* atrelado ao *princípio do tempo*. Leva tempo para aprender algumas lições e, quanto mais profunda é a lição, mais tempo é requerido de preparo para o exame.

Você já estudou alguma vez a noite toda a fim de se preparar para um exame final? Portanto, enquanto você estiver orando em meio a um jejum de dez ou de vinte e um dias, Deus pode estar tentando ensinar uma importante lição. Pode levar todos os vinte e um dias para você aprender o que Deus está querendo ensinar. E a lição que Deus quer ensinar a você pode ser algo inteiramente diferente de seu alvo de fé.

A oração perseverante é uma atitude que Deus nos ensina; assim, quando você aprende essa lição, esteja determinado a nunca desistir. Faça um voto agora de que você manterá seu jejum até o fim. Ore até cumprir o voto que fez. Ore até terminar o jejum. Ore até obter uma resposta.

## Meu período de oração

*Senhor, confesso minha fraqueza. Ajuda-me a continuar forte neste jejum.*

*Senhor, completei sete dias; ajuda-me a manter meu voto de não comer até o fim e ajuda-me a orar persistentemente até que as respostas apareçam.*

*Senhor, ofereço os próximos dias de meu jejum ao Senhor. Sê glorificado por minha dedicação e ajuda-me a manter minha promessa. Amém.*

## Minhas respostas de oração

______________________________________________

______________________________________________

______________________________________________

______________________________________________

______________________________________________

______________________________________________

Para sugestões de receitas, veja as páginas 217-231.

SEGUNDA SEMANA

# Visão geral do 8º ao 14º dia

### Aprendendo a orar

As sete devocionais a seguir são apresentadas para nos ensinar algumas lições básicas sobre oração. Obviamente, você não precisa aprender a orar, porque orar é tão simples quanto conversar. Lembre-se de que, ao orar, você está conversando com alguém; oração é relacionamento com Deus.

Então, nem sempre se trata de como falar com Deus, ou do que dizer para Deus: a chave é o relacionamento. Portanto, que possamos ter tempo com Deus, conhecê-lo e com isso aprender a adorá-lo.

O jejum pode levá-lo a uma proximidade de Deus que você nunca imaginou que pudesse ter em sua vida. Você não gostaria disso? Use as oportunidades de oração para conhecer a Deus intimamente. A grande paixão de Paulo era: "Quero conhecer Cristo, o poder da ressurreição e a participação em seus sofrimentos" (Filipenses 3.10).

Então, não se esqueça de guardar seus votos e, ainda mais importante, mantenha seu compromisso de oração. Jesus disse que devemos "orar sempre e nunca desanimar" (Lucas 18.1).

### Leituras diárias

- **8º dia:** Intimidade com Deus
- **9º dia:** Oração de agradecimento
- **10º dia:** Jejuando com fome de Deus
- **11º dia:** Orar é perguntar
- **12º dia:** Jejuando para louvar a Deus
- **13º dia:** Jejuando para identificar pecados
- **14º dia:** Não quebre seu jejum

## 8º DIA

# Intimidade com Deus

*Tendemos a pensar no jejum como ficar sem alimento. Mas podemos jejuar de qualquer coisa. Se amamos música e decidimos perder um concerto a fim de passar mais tempo com Deus, isso é jejum. Ajuda bastante pensar num paralelo com as amizades humanas. Quando amigos querem estar juntos, cancelam todas as suas atividades para tornar isso possível. Não existe nada insensato a respeito de jejum. É apenas uma maneira de dizer a nosso Deus que sua prioridade nesse momento é estar sozinho, relacionando-se com ele. Por conseguinte, livre-se do que for necessário para cancelar a refeição, festa, concerto ou qualquer outra coisa que você tenha planejado fazer a fim de preencher essa prioridade, que é se dedicar ao Senhor.*

J. I. Packer

Há muitas maneiras de definir o que significa orar. Orar é pedir, orar é adorar e orar é louvar a Deus. Orar também é descansar em Deus; ou é travar uma batalha espiritual contra nosso inimigo. Hoje, porém, vamos focalizar a intimidade em oração. Quão íntimo de Deus você é?

Olhe para o modelo de vida de Jesus. Ele nos ensinou a orar começando com as seguintes palavras: "Pai nosso, que estás no céu" (Mateus 6.9). Jesus nos convida a desenvolver um relacionamento íntimo com o Pai celeste, uma intimidade que ele compartilhava com o Pai.

As primeiras palavras registradas de Jesus ocorreram quando ele tinha 12 anos de idade. Maria e José haviam levado a família a Jerusalém para uma festa e provavelmente viajavam em um grupo grande, acreditando que Jesus estava no meio do povo quando retornaram para casa. Mas ele não estava.

José e Maria procuravam durante alguns dias antes de encontrarem Jesus no templo. Então, perguntaram por que ele se havia afastado. Jesus assim respondeu: "Por que vocês estavam me procurando? Não sabiam que eu devia estar na casa de meu Pai?" (Lucas 2.49).

Muitas pessoas leem essa história e destacam que Jesus estava na casa de Deus, buscando intimidade com o Pai. Jesus chamou Deus de "seu Pai", uma expressão de intimidade.

Analisemos o batismo de Jesus. O Pai apareceu porque era a inauguração do ministério de seu Filho. Os pais não costumam aparecer nos dias importantes da vida de seus filhos? O Pai celestial disse: "Tu és o meu filho amado; em ti me agrado" (Lucas 3.22).

Mais uma vez, quando Jesus se transformou na frente de seus três discípulos no monte da Transfiguração, o Pai falou do céu: "Este é o meu Filho amado, em quem me agrado" (Mateus 17.5).

Há uma diferença entre o relacionamento do pai com seu filho e a reverência entre o adorador e Deus.

---

*Os relacionamentos aproximam os filhos de seus pais; a reverência aproxima os adoradores de Deus.*

---

No Antigo Testamento, Deus se revelou mediante três nomes. Primeiro, revelou-se como *Elohim*, o poderoso Criador que chamou o mundo à existência. Segundo, revelou-se como *Yahweh* (Javé), o Senhor em pessoa que disse a Moisés: "Eu Sou o que Sou"

(Êxodo 3.14). Em terceiro, era *Adonai*, nosso senhor e dono, e assim somos seus servos.

O nome "Pai" é atribuído a Deus mais de uma vez no Antigo Testamento, e no evangelho de João Jesus pronuncia seu nome sete vezes como sendo o do Pai. Tanto no Antigo quanto no Novo Testamentos, Deus se assemelha a uma diversidade de elementos; por exemplo, ele é como uma rocha (v. Salmos 61.2; 2Samuel 22.3), uma águia (v. Deuteronômio 32.18; Salmos 139.8), uma mãe (v. Salmos 17.8; 36.7; 57.1; 91.1,4) e um pai (v. Efésios 3.15; Atos 17.24; Salmos 34.15-22). E aqui temos outro exemplo: "Contudo, Senhor, tu és o nosso Pai. Nós somos o barro; tu és o oleiro" (Isaías 64.8). Todos esses nomes são metáforas que nos ajudam a entender Deus.

Jesus ensinou seus discípulos para que eles tivessem um novo relacionamento com Deus. Ele os ensinou a orar: "Pai nosso, que estás nos céus" (Mateus. 6.9). Por causa de Jesus, temos um novo relacionamento com Deus, nosso Pai celestial.

O relacionamento entre o Pai e Jesus foi revelado em sua mais profunda intimidade quando Jesus orou no Getsêmani: "E dizia: *Aba*, Pai, tudo te é possível. Afasta de mim este cálice; contudo, não seja o que eu quero, mas sim o que tu queres" (Marcos 14.36). Quando Jesus chamou o Pai de "Aba", foi como um brasileiro chamando seu pai de "papai".

O fortalecimento que Jesus adquiriu em seu relacionamento com o Pai celestial lhe permitiu encarar os sofrimentos físicos e as dificuldades espirituais na cruz quando ele se tornou pecado por nós (V. 2Coríntios 5.21.)

O que há de prazeroso em saber a respeito desse relacionamento de Jesus com seu Pai celestial? Isso nos faz lembrar de um relacionamento íntimo entre um pai aqui na terra e uma criança. A criança corre para os braços de seu pai quando retorna de alguma viagem e pergunta: "O que você trouxe para mim?". É dessa maneira que você se imagina orando pelo seu propósito no jejum? O que você está pedindo?

Olhe para o exausto garoto sentado na perna de seu pai em um dia de piquenique. O garoto dorme e descansa no colo do pai para recuperar as energias e poder brincar novamente. Eles não precisam dizer nada um para o outro; apenas aproveitam o momento. A presença do pai é o suficiente.

Podemos orar sem palavras? Sim! Lembre-se de que a palavra mais usada para oração no Novo Testamento é *proseuchomai* (*pros* significa "em direção", e *euchomai* é "a face"). A oração também é como uma relação face a face com Deus, um retrato de duas pessoas que se amam olhando uma para os olhos da outra. Elas não precisam dizer nada; sua intimidade diz: "Eu amo você".

Intimidade é apreciar a presença de Deus. "Então o rei Davi entrou no tabernáculo, assentou-se diante do SENHOR, e orou" (2Samuel 7.18). Quando chegar seu momento de oração, lembre-se de que você também pode sentar-se na presença do Pai celestial. Aproveite. Porque você é seu filhinho, inicie suas orações da maneira que Paulo ensinou que nos aproximássemos do Pai: "E porque vocês são filhos, Deus enviou o Espírito de seu filho ao coração de vocês, e ele clama: 'Aba, Pai!' " (Gálatas 4.6). Que nome de intimidade e carinho você usa para referir-se a seu Pai celestial?

Em outra passagem das Escrituras, Paulo nos ensina: "O próprio Espírito testemunha ao nosso espírito que somos filhos de Deus. Se somos filhos, então somos herdeiros; herdeiros de Deus e co-herdeiros com Cristo, se de fato participamos de seus sofrimentos, para que também participemos da sua glória" (Romanos 8.16,17). O que é um herdeiro? Quem tem o direito sobre a herança e as propriedades do Pai. Oremos, então, confiantemente no propósito do jejum. Peça como uma criança ao buscar seu Pai celestial.

A intimidade com Deus pode parecer misteriosa. Como você pode ser confiante em suas tentativas de conhecer a Deus da mesma maneira que conhece seu pai aqui na terra? Existem diversas maneiras de definir como a intimidade e as ações nos levam a experimentar isso com nosso Pai celestial.

*Em primeiro lugar, intimidade é estar aqui.* Não conseguimos intimidade com Deus por meio de métodos, técnicas ou fórmulas corretas de oração. Você consegue intimidade aproximando-se de Deus. "Como é agradável o lugar da tua habitação, Senhor dos Exércitos! A minha alma anela, e até desfalece, pelos átrios do Senhor; o meu coração e o meu corpo cantam de alegria ao Deus Vivo. [...] Melhor é um dia nos teus átrios do que mil noutro lugar; prefiro ficar à porta da casa do meu Deus a habitar nas tendas dos ímpios" (Salmos 84.1,2,10).

*Em segundo lugar, intimidade é buscar a presença de Deus.* O Pai está sentado no trono do céu. Por que não assentar-se no colo dele? Assim como uma criança busca o colo de seu pai aqui na terra, podemos fazer o mesmo com nosso Pai celestial.

E por que uma criança deseja sentar-se no colo de seu pai? Talvez para pedir-lhe algo, ou para que seu pai leia para ela. Talvez a criança precise de ajuda para a lição de casa. Ou simplesmente quer sentar-se no colo do pai porque gosta muito disso. A intimidade não é algo maravilhoso? "Uma coisa eu pedi ao Senhor; é o que procuro: que eu possa viver na casa do Senhor todos os dias da minha vida, para contemplar a bondade do Senhor e buscar sua orientação no seu templo" (Salmos 27.4).

*Em terceiro lugar, para experimentar intimidade com Deus, você não precisa aprender nada.* As crianças não precisam fazer um curso para aprender a ser crianças. Simplesmente são. Isso vem com o nascimento; quando nascem numa família, elas experimentam o amor do pai. Isso as faz saber que são parte da família. O amor lhes ensina a agir e a reagir em resposta ao pai. O amor abre a porta para que elas peçam.

Não é o papel do pai ser o provedor de alimento, roupa e abrigo para os filhos? Sim, claro, e não é o papel do filho pedir por suas necessidades a seus pais naturais? Sim, certamente. Então, hoje, peça por seu objetivo no jejum.

Uma criança sentada no colo de seu pai não precisa fazer um curso para tornar-se filho. Ela se senta e age naturalmente. O que é natural para você na presença de seu Deus?

*Em quarto lugar, a intimidade é um privilégio que deve ser aproveitado.* Sempre aprecio a imagem do presidente John F. Kennedy sentado numa importante reunião de trabalho quando seu filho, John-John, repentinamente entra na sala e o interrompe. O que acontece? O presidente para o que está fazendo e coloca o filho em seu colo. Naquele momento, o pedido de seu filho é mais importante que qualquer outro assunto dos Estados Unidos da América.

Quando você se coloca diante do trono celestial, Deus para o que está fazendo para escutar seu pedido. Nesse momento, seu pedido é mais importante do que Deus estar trabalhando em favor de todo o Universo.

*Em quinto lugar, a intimidade é aprendida no céu, não na terra.* Enquanto estávamos discutindo a intimidade entre um pai natural e seu filho, esse não era nosso modelo verdadeiro. Lembre-se de que algumas crianças têm em seus pais maus exemplos de seres humanos. Alguns deles são bêbados, viciados em jogos, preguiçosos e abusadores. Algumas pessoas na terra não têm boas lembranças de seus pais naturais.

Na Criação, Deus construiu um conceito de paternidade e, se os homens o seguirem, tornar-se-ão bons pais. Em contrapartida, quando os pais naturais se entregam ao pecado, destroem a possível relação que poderiam ter com seus filhos, e vice-versa.

Se suas experiências aqui na terra dificultam sua vida de oração, peça a Deus que cure suas memórias. Peça também a Deus que cure suas fraquezas e, finalmente, sua falta de intimidade com ele.

Você precisa perdoar todos os familiares que possam ter destruído em você qualquer ideia de intimidade. Ore: "Perdoa-nos as nossas dívidas, assim como nós perdoamos aos nossos devedores" (Mateus 6.12, *Almeida Revista e Atualizada*).

*Em sexto lugar, deixe a intimidade se desenvolver.* Algumas pessoas simplesmente não se sentem conectadas a Deus. Como elas podem superar as orações de súplica e desenvolver uma real intimidade com Deus? A resposta simples é aguardar um tempo. Coloque-se na presença de Deus e espere.

O salmista nos ensina: "Espere no Senhor" (Salmos 27.14). Mas esteja certo de esperar na doce presença de Deus. "Descanse somente em Deus, ó minha alma; dele vem a minha esperança" (Salmos 62.5).

O que acontece quando esperamos em Deus? "Mas aqueles que esperam no Senhor renovam as suas forças. Voam alto como águias; correm e não ficam exaustos, andam e não se cansam" (Isaías 40.31).

Então, esperar em Deus traz resultados.

*Em sétimo lugar, espere crescer na arte da intimidade.* O que sabemos a respeito dos bebês? Eles podem ser manipuladores. Eles esperam tudo de seus pais e, se não conseguirem o que querem, da maneira que querem, vão chorar e gritar para conseguir atenção até ficarem satisfeitos. É natural para os bebês chorar. Você é um bebê em seu relacionamento com Deus?

Os bebês choram por comida até que a mamadeira chegue. Choram por causa da fralda molhada até que seja trocada. Alguns choram quando se sentem ignorados. Você é um bebê espiritual? Se for, chore a Deus para tudo o que precisar. Os bebês não se importam se é madrugada e seus pais estão com sono. Não se importam se o pastor está ministrando a Palavra de Deus e eles estão atrapalhando o culto na igreja. Não, os bebês só pensam em si próprios. Seja cuidadoso para que isso não descreva sua vida de oração. Mas os bebês não são irreversivelmente egoístas. À medida que crescem, aprendem melhores maneiras de expressar suas necessidades. Aprendem a respeitar os outros e suas necessidades. Deus deu a família para ensinar os bebês a repartir, receber, dar e amar. A senha para o crescimento é amor. "Nós amamos porque ele nos amou primeiro" (1João 4.19).

Bebês que crescem em ambientes de amor crescem como adultos maduros. Em algum tempo aprenderão a dar uma gravata de presente no Dia dos Pais; e, à medida que crescerem, darão aos pais respeito e serão íntimos em relacionamento.

*Em oitavo lugar, a verdadeira intimidade equilibra reverência e relacionamento.* Deus é o Criador do Universo, e nós reverenciamos sua presença. Porque Deus é o onipotente Eu Sou o que Sou, nós nos prostramos em sua presença para declarar em alta voz: "Santo, Santo, Santo". Este é o lado todo-poderoso da porta.

Contudo, quando atravessamos a porta, encontramo-nos na presença do Pai celestial — Aba Pai —, Papai. Podemos chegar mais perto e, metaforicamente, lançar nossos braços em volta de seu pescoço e dizer: "Eu te amo".

## Meu período de oração

*Senhor, esperarei em tua presença, sem nada pedir.*
*Espero em ti para conhecer-te melhor.*

*Senhor, quero conhecer-te mais intimamente, mais intimamente*
*do que eu possa conhecer qualquer pessoa na terra.*

*Senhor, eu te reverencio como soberano Senhor e Deus do Universo.*

*Eu te adoro, te amo e me prostro diante de ti.*

*Senhor, ensina-me como ser reverente a ti e como*
*ter intimidade contigo. Amém.*

## Minhas respostas de oração

Para sugestões de receitas, veja as páginas 217-231.

❧ 9º DIA ❧

# Oração de agradecimento

*Uma pessoa espiritualmente avivada deveria enxergar todas as coisas como se fossem uma dádiva, até mesmo o sofrimento. Não merecemos nada, mas geralmente agimos como se merecêssemos tudo. Nada deveria ser tido como direito inato. Devemos agradecer a Deus cada dia que nos é proporcionado. Esta é uma das razões por que jejuar é tão importante para nossa disciplina espiritual. Não apenas jejuar de comida, mas também do carro, do shopping center, da necessidade do novo — seja lá o que nos torna dependentes. O jejum pode ajudar-nos a aumentar nossa sensação de gratidão por tudo quanto temos recebido.*

GLEN ARGAN

Todas as manhãs de domingo eu me reúno com um grupo de oração. É a reunião mais importante da semana, pois ali ganho poder espiritual e energia emocional maiores do que em qualquer outro grupo com o qual me relaciono.

Recentemente, uma pessoa me perguntou: — Por que você sempre começa suas orações agradecendo a Deus por responder a sua oração?

Eu nunca havia percebido isso, nem tinha noção que sempre começo as orações desse modo. Então, perguntei: — Por quanto tempo tenho feito isso?

A pessoa, então, respondeu: — Sempre.

A partir de então, comecei a analisar por que eu orava dessa maneira. Talvez fosse pelo fato de minha mãe ter-me ensinado a agradecer quando alguém me dava algo ou me fazia algo de bom. Mas acho que isso vai além de um hábito.

Percebi que geralmente repito a frase: "A gratidão é a virtude menos lembrada de todas, mas é o teste mais profícuo do caráter". Aqueles que se acostumam a dar graças desenvolvem uma das principais virtudes cristãs. Talvez eu dê graças porque faz parte de minha natureza, ou porque sei que Deus merece minha apreciação. E, sim, talvez eu dê graças pelas respostas do passado porque elas são o fundamento das respostas futuras.

A expressão "dar graças" provém do termo *eucharisteo*. A raiz do termo é *charis*, que quer dizer "graça". Quando você agradece a alguém, comunica "graça", e nesse processo você adquire graça.

A mensagem do Novo Testamento é a graça — ou seja, Deus fazendo exatamente o oposto daquilo que você merecia. Você merece o inferno, mas ganha o céu. Você merece a alienação, mas ganha uma intimidade com Deus. Você merece o castigo por seus pecados (todos nós merecemos), mas ganha o perdão e o amor de Deus.

Saber que Deus ama você é o maior dom que a graça oferece. Isso exige gratidão. Quando você experimenta a graça, não pode fazer outra coisa senão agradecer ao doador da graça.

## Por que dar graças?

*Primeiro, um coração agradecido a Deus coloca você de joelhos em oração.* Portanto, aproxime-se de Deus com um coração agradecido por tudo quanto ele tem dado a você. Então, Deus reconhecerá sua sinceridade e o ouvirá. Deus percebe que você não está vangloriando-se, nem se concentrando em seus próprios interesses. Um coração agradecido faz que você focalize Deus, e isso o coloca de joelhos para orar, bem próximo do coração de Deus.

Paulo nos dá o exemplo de aproximação a Deus com um coração agradecido: "Mas graças a Deus, que sempre nos conduz vitoriosamente em Cristo e por nosso intermédio exala em todo lugar a fragrância do seu conhecimento" (2Coríntios 2.14).

Então, Paulo nos instrui a dar graças em nossas orações: "mas em tudo, pela oração e súplicas, e com ação de graças, apresentem seus pedidos a Deus" (Filipenses 4.6). Você já notou que "dar graças" vem antes de fazer petições diante de Deus?

*Segundo, um coração agradecido é um coração obediente.* Somos orientados no livro de Salmos a dar graças a Deus: "Deem graças ao SENHOR" (v. Salmos 30.4; 97.12; 105.1; 106.1,47; 107.1; 118.1,29; 136.1,2,3,26).

Paulo também nos instrui a dar graças em orações: "Dediquem-se à oração, estejam alertas e sejam agradecidos" (Colossenses 4.2). Provavelmente ele nos instrui a dar graças porque esse era seu hábito nas orações (v. Romanos 1.8; 1Coríntios 1.4; Filipenses 1.3; 1Tessalonicenses 2.13; 2Tessalonicenses 1.3; 1Timóteo 1.12; 2Timóteo 1.3, Filemom 4).

Uma vez que você já aprendeu a dar graças, por que não fazê-lo? E, se você obedientemente agradece, não concorda que Deus atentará para o que você está fazendo e dará ouvidos a sua petição?

*Terceiro, um coração agradecido estimula a fé em Deus para outra resposta de oração e para uma resposta ainda maior.* Quando Daniel foi perseguido por causa de sua fé, em razão de uma lei civil que proibiu sua vida de oração, ele não parou de orar. Mas começou a fazer orações de agradecimento:

"Quando Daniel soube que o decreto tinha sido publicado, foi para casa, para o seu quarto, no andar de cima, onde as janelas davam para Jerusalém e ali fez o que costumava fazer: três vezes por dia ele se ajoelhava e orava, agradecendo ao seu Deus" (Daniel 6.10). O fato de Daniel saber que Deus já havia respondido a suas orações no passado o fez iniciar essa oração — talvez a mais importante de toda a sua vida — com ação de graças.

*Quarto, uma oração com palavras de agradecimento servirá de testemunho a outros.* Ao instruir os colossenses sobre como viver para Cristo, Paulo diz: "Que a paz de Cristo seja o juiz em seu coração, visto que vocês foram chamados para viver em paz, como membros de um só corpo. E sejam agradecidos" (Colossenses 3.15).

A paz interior do coração e a ação de graças exterior parecem estar ligadas uma à outra. Se somos gratos por nossa esposa e nossos filhos, não os criticamos tanto e lhes desejamos o melhor. Se somos agradecidos por "tudo" o que ocorre em nossa vida, não quebramos o décimo mandamento: "Não cobiçarás [...]" (Êxodo 20.17).

*Quinto, dar graças é sinônimo de louvor e bênção.* Essa é uma das formas de adorar a Deus. Quando você agradece a Deus por tudo o que é, por tudo o que tem e por tudo o Deus fez em sua vida, você o põe em primeiro lugar. Sua vida se concentra em Deus, não em si mesmo. Somos instruídos da seguinte maneira: "Entrem por suas portas com ações de graças, e em seus átrios, com louvor; deem-lhe graças e bendigam o seu nome" (Salmos 100.4).

Então, qual deve ser nossa atitude quando adoramos a Deus com louvor?

Dando graças a ele!

Como podemos oferecer louvor a Deus?

Dando graças a ele!

Qual a melhor maneira de agradar a Deus?

Dando graças a ele!

*Sexto, o exemplo de Jesus.* A única pessoa que não precisa agradecer ao Pai celestial é seu Filho, Jesus Cristo. O Pai e o Filho são iguais em natureza, portanto o Filho não precisa agradecer, mas ainda assim ele o faz.

Note o que Jesus faz antes de alimentar os 5 mil com cinco peixes e dois pães. Ele dá graças: "Então Jesus tomou os pães, deu graças e os repartiu entre os que estavam assentados, tanto quanto queriam; e fez o mesmo com os peixes" (João 6.11).

Da mesma forma que Jesus veio à terra como judeu e viveu uma vida perfeita, ele dava graças assim como faziam os judeus que almejavam a perfeição diante da presença de Deus.

Devemos ser gratos pelo exemplo de ação de graças de Jesus. Lembre-se de que Pedro disse que Jesus nos deixou exemplo, para que sigamos seus passos (v. 1Pedro 2.21). Uma vez que Jesus dava graças continuamente, como podemos agir de outra forma?

*Sétimo, dar graças ativa nossa memória acerca da morte de Cristo.* Alguns grupos cristãos chamam o culto de comunhão de eucaristia. Essa palavra provém do termo *eucaristheo*, que significa "dar graças". O foco da mesa do Senhor é compartilhar o agradecimento quanto ao que Jesus fez na cruz.

Ao olhar adiante para sua morte, Jesus iniciou dando graças: "Tomando o pão, deu graças, partiu-o e o deu aos discípulos, dizendo: 'Isto é o meu corpo dado em favor de vocês; façam isto em memória de mim' " (Lucas 22.19). Por isso, quando comemos, damos ações de graças.

Então, Jesus tomou o cálice e repetiu a mesma fórmula: "[...], deu graças e o ofereceu aos discípulos, dizendo: 'Bebam dele todos vocês. Isto é o meu sangue da aliança, que é derramado em favor de muitos, para perdão de pecados. Eu lhes digo que, de agora em diante, não beberei deste fruto da videira até aquele dia em que beberei o vinho novo com vocês no Reino de meu Pai' " (Mateus 26.27).

Fui pastor da Igreja Bíblica da Fé, em Dallas, Texas, de 1956 a 1958. Eles celebravam a santa ceia segundo o costume moraviano ou conforme as assembleias dos Irmãos de Plymouth. O culto inteiro era feito em torno da ceia.

Eu costumava perguntar aos irmãos daquela comunidade: "Você gostaria de agradecer a Deus pelo corpo partido de Jesus por seus pecados?". Sempre pedia a alguns outros irmãos daquela comunidade para orar por esse motivo. Então, o pão era partido, e todos comíamos juntos.

Seguíamos o mesmo modelo em relação ao cálice. Eu pedia a alguém: "Você poderia agradecer pelo sangue de Jesus que foi derramado por nossos pecados?".

Nossa proximidade com Deus é mais intensa à medida que nos achegamos a ele em ações de graças por seu corpo torturado e por seu sangue derramado.

## Meu período de oração

*Senhor, por todas as "grandes coisas" que tens feito" (Salmos 126.2), eu te agradeço.*

*Senhor, pelas orações respondidas no passado, eu te agradeço.*

*Senhor, pela proteção dos perigos conhecidos e desconhecidos, eu te agradeço.*

*Senhor, pela direção para fazer tua vontade e por tua paciência comigo quando não a tenho cumprido, eu te agradeço.*

*Senhor, por teres me salvado e me dado tua segurança nos dias tenebrosos, eu te agradeço.*

*Senhor, por tudo quanto Cristo fez no Calvário,*
*eu te agradeço.*

*Senhor, agradeço por teu majestoso amor e carinho*
*para comigo. Amém.*

**Minhas respostas de oração**

______________________________________________

______________________________________________

______________________________________________

______________________________________________

______________________________________________

______________________________________________

Para sugestões de receitas, veja as páginas 217-231.

10º DIA

# Jejuando com fome de Deus

*Levante aos céus as mesmas mãos que apontam para baixo, pela fé e oração; sustente os joelhos cambaleantes. Você já fez jejum e oração alguma vez? Alcance o trono da graça e persevere a esse respeito, e a misericórdia virá.*

JOHN WESLEY

Eu jejuo vários dias, e isso é bom. Bill Greig Jr., presidente da Gospel Light Publishing, perguntou-me: — Qual a maior resposta de oração que você já obteve por causa do jejum?

— Não jejuo para obter uma resposta de oração — foi minha reação imediata.

— Então, por que você se tortura tanto se não jejua para obter uma resposta de oração?

— Estou jejuando para conhecer a Deus intimamente — expliquei. — Meu jejum não tem o propósito de obter coisas de Deus. Jejuo para conhecer Deus mais intimamente.

— Oh, escreva algo a esse respeito para a Regal Books. Esse é um tópico atraente para um livro.

Fui direto para meu quarto de hotel e comecei a escrever o que acabou sendo publicado com o título de *God Encounters* [Encontros com Deus].[1] Embora Bill estivesse certo ao afirmar que "conhecer a Deus" é um tópico valioso para um livro, estava errado em duas outras coisas. Primeiro, ele perguntou por que eu me colocava em toda essa dificuldade. Muitos dos que não jejuam pensam que jejuar é difícil ou doloroso, ou pensam que aqueles que jejuam estão em desgraça ou passando por um período de tortura. Bill, assim como várias outras pessoas, pensava tratar-se de algo "muito pesado" ou uma "experiência de tortura".

Quando você passa tempo com Deus, essa é uma experiência bastante satisfatória. Aqueles que se encontram em profunda experiência com Deus são pessoas alegres. É uma intimidade difícil de descrever ou traduzir em palavras (discutiremos mais sobre isso neste capítulo).

Bill também estava errado ao pensar que o jejum visa somente obter respostas de oração. Sim, o jejum nos faz conseguir respostas de oração. Lembre-se do que Jesus disse: "Mas esta espécie só sai pela oração e pelo jejum" (Mateus 17.21). Jejuar, porém, envolve mais que abster-se de comida; jejuamos e oramos para conseguir atenção de Deus.

Agora, você está no jejum e deve orar por um objetivo em sua igreja ou por um alvo pessoal. Você provavelmente está seguindo uma dieta especial e reserva tempo para a oração. Mas neste capítulo não atentaremos para um objetivo ou alvo do jejum. Vamos examinar o que acontece com seu companheirismo com Deus quando você jejua.

## Atente para o que ocorre

O corpo é uma grande máquina. Sabemos que todas as máquinas precisam de combustível — gasolina, carvão, lenha ou algum outro tipo de gerador de energia. Da mesma forma, nosso corpo também

---

[1] Towns, Elmer L. **God Encounters.** Ventura, CA: Regal Books, 2000.

precisa de alimento para produzir a tremenda quantidade de energia gasta a cada dia. Algumas vezes, quanto mais energia gastamos, de mais combustível (calorias — carboidratos, gorduras e proteína) precisamos para nos manter. Quando seu carro está quase sem gasolina, ele começa a chacoalhar e engasgar, informando sobre o problema. Desse modo, se você está acostumado a comer três refeições por dia — e, então, você perde alguma —, seu estômago avisará que está na hora de se reabastecer.

Não quero preocupar você, mas, durante os primeiros vinte dias de um jejum, você fica até com saudades da gordura de seu corpo, pois boa parte vai sendo queimada. (Seu jejum é a energia para movimentar seu corpo.) Isso é bom porque a doença circula em seu corpo pelo sangue, mas ao final é depositada em sua gordura. No jejum, você se afasta de doenças potenciais. Talvez por isso é que Deus tenha dito no Antigo Testamento para os judeus não comerem gordura ou beber sangue (v. Levítico 6.26; 7.24,25.) Talvez as instruções de Deus tenham sido de saúde preventiva para manter Israel fisicamente livre das doenças e da fraqueza física. Dessa forma, o jejum é bom — não nocivo — porque purifica seu corpo físico da doença potencial. Então, quando você não come — porque está jejuando —, recebe sinais de seu corpo sobre uma base regular: "Alimente-me". Cada sinal deve lembrar você do propósito de seu jejum. Cada vez que seu estômago "resmunga" ou "faz barulho", você lembra de que "este jejum é para Deus".

---

*Espasmos de fome devem manter você em momentos de inspiração com Deus.*

---

Contudo, não é apenas seu estômago que envia mensagens. Cada *outdoor* na estrada parece fazer comercial de hambúrgueres, *pizzas* ou algum aperitivo. Não me lembro de ter visto tantos comerciais do gênero até o dia em que jejuei por quarenta dias.

A tela da TV também se torna uma de suas inimigas com aqueles comerciais apresentando bifes suculentos ou lagostas maravilhosas, preparados de maneira perfeita e no ponto. Nessa época ocorre que eles nunca são apenas parte de uma cena em que se mostra por acaso um prato de comida; o bife ou a lagosta parecem preencher a tela de ponta a ponta.

Quando essas imagens mentais de comida aparecem, é um ótimo momento para aplicar aí uma disciplina espiritual e orar. Melhor do que pensar na comida, ou desejar a comida, é orar pelo objetivo sobre o qual estou jejuando. Ter fome por comida é uma coisa, mas ter fome por Deus é uma coisa ainda maior.

Jesus disse que Deus satisfaria — abençoaria — aqueles que têm fome de Deus, pois a palavra "satisfazer" significa "abençoar". Jesus prometeu: "Bem-aventurados os que têm fome e sede de justiça, pois serão satisfeitos" (Mateus 5.6). Você prestou bastante atenção à promessa de que os famintos e sedentos por justiça "serão satisfeitos"? Quando você está mesmo desejando um hambúrguer suculento, não há satisfação semelhante à de sentar-se tranquilamente e degustar um daqueles vagarosamente.

Da mesma maneira, há momentos em que você deseja realmente que Deus se manifeste. Você precisa de Deus e deseja-o de todo o seu coração. Fazer jejum dos alimentos terrenos é uma maneira de descobrir a presença de Deus.

Quanto mais tempo você consegue jejuar, mais espirituais se tornam seus pensamentos. Você não é consumido pelo desejo de alimento que o corpo pede. Deus começa a consumir seus pensamentos — toda a sua experiência. Você se concentra nele. Começa a clamar: "Quero conhecer Cristo" (Filipenses 3.10).

Não se trata apenas de um processo mental que focaliza Deus enquanto você jejua. O cérebro pensa mais claramente e sua memória funciona melhor enquanto você jejua. Talvez isso se deva ao fato de que o coração não manda muito sangue para o estômago com a finalidade de digerir a comida, e, com isso, sobra sangue para alimentar o cérebro, o que significa que este trabalhará melhor.

Por isso o *Ginkgo biloba* estimula a mente e auxilia a memória. É uma erva que aumenta o fluxo sanguíneo para o cérebro. Da mesma forma, você pensa mais claramente quando está jejuando. Todavia, concentre seu pensamento em Jesus.

O salmista nos exorta da seguinte maneira: "Provem, e vejam como o SENHOR é bom" (Salmos 34.8). Quando você se abstém das comidas terrenas, aumenta o seu desejo de saborear o alimento espiritual; você preenche a si mesmo apenas com Jesus Cristo.

Jesus se autodenominou "pão": "Eu sou o pão da vida. Aquele que vem a mim nunca terá fome" (João 6.35). Comemos para obter forças e sobreviver; mas Deus também nos deu a bênção de saborearmos os alimentos. A comida não nos dá um grande prazer? Que delícia é uma melancia em um dia quente! Uma *pizza* quentinha à noite! Um bife frito quando estamos mortos de fome! Então, pense na satisfação que podemos ter em Cristo quando levamos um coração vazio a seus pés.

Jesus nos dá plena satisfação, pois prometeu: "Aquele que vem a mim nunca terá fome" (João 6.35). Conforme jejuamos, percebemos que Jesus preenche cada canto de nosso coração.

Muitos não compreenderam o sermão de Jesus acerca do pão da vida. Ele prometeu: "Eu lhes digo a verdade: Se vocês não comerem a carne do Filho do homem e não beberem o seu sangue, não terão vida em si mesmos. Todo aquele que come a minha carne e bebe o meu sangue tem a vida eterna, e eu o ressuscitarei no último dia" (João 6.53,54).

Alguns se equivocaram ao acreditar que os cristãos eram canibais que haviam roubado e comido o corpo de Jesus. Outros disseram que eles precisavam comer e beber à mesa do Senhor para serem salvos. Ambas as ideias estão erradas. Quando Jesus diz para comermos e bebermos do corpo e do sangue dele, estava referindo-se a nossa união com Cristo. Quando fomos salvos, convidamos Jesus a morar em nosso coração, e ele entrou em nossa vida terrena para nos dar vida eterna. É uma analogia a comer arroz e feijão, pois é o que entra em nosso corpo que nos dá forças para continuar a viver.

Sim, quando jejuamos, focamos internamente Jesus. Conforme lemos as Escrituras, vemos Cristo como novidade em nossa vida, pois Jesus é "a Palavra [de Deus]" (João 1.1). Portanto, leia bastante as Escrituras quando estiver jejuando. A Bíblia — as palavras de Jesus — renova nossos desejos de viver para Deus e molda nossa mente para pensarmos em Deus.

Isso nos leva ao segundo ponto; se o primeiro passo é a *união*, o segundo é a *comunhão*. Durante um jejum você terá um relacionamento ou uma comunhão com Cristo mais profunda do que em qualquer outro momento. Seu jejum deve produzir união *e* comunhão.

Vejamos outro versículo no qual Jesus instrui a nos alimentarmos dele. Este texto agora nos promete *união e comunhão*: "Todo aquele que come a minha carne e bebe o meu sangue permanece em mim e eu nele" (João 6.56).

Quando Jesus diz "eu nele", isso ocorre quando temos união com Cristo, a qual começou com a salvação, pois recebemos Cristo em nosso coração (v. João 7.12; Efésios 5.17). Estamos unidos em Cristo pela salvação. Portanto, onde está Cristo quando você jejua? Ele está vivo em seu coração.

A outra parte do versículo, "permanece em mim", significa que temos sociedade, ou comunhão, com Cristo. Portanto, quando você jejua, deve estar mais próximo de Deus do que em qualquer outro momento de sua experiência cristã.

Lembro-me de certa ocasião, durante um jejum, em que participei de um culto à luz de velas em minha igreja, e eu não comia já havia vinte dias, mas não sentia fome alguma. Eu nem lembrava que comeríamos pão durante a ceia do Senhor. Eu não tinha percebido o problema até que o diácono trouxe a toalha branca da mesa com os elementos da ceia. Foi então que deparei com a questão: "Será que devo comer do pão?". Eu estava no 20º dia de um jejum programado para durar quarenta dias. Estava jejuando para Deus e queria que ele fosse glorificado em tudo que eu fizesse.

Racionalizei: *Posso beber o vinho do cálice, pois estou ingerindo suco de laranja todas as manhãs. Mas não coloquei nenhum alimento sólido em minha boca desde o início do jejum*, pensei. *Não comerei o pão. Não me importo com o que os outros pensam; isto é entre Deus e mim.*

Decidi não comer o pão, mas beber o vinho. Manteria meu jejum de forma "perfeita" para Deus. Oraria e meditaria enquanto os outros estivessem tendo a comunhão. Ainda cheguei a pensar erroneamente: *Seria melhor não ter vindo à igreja esta noite; assim, eu poderia honrar meu jejum pessoal.* Foi então que deparei com o seguinte pensamento: *Comer o pão é um endosso da comunhão com Cristo; o jejum tem esse mesmo objetivo.* Assim, comi o pão crocante naquela noite, sentindo a comunhão com Cristo, o qual habita meu coração. Daquele momento em diante, não mais senti como se estivesse violando meu jejum. Eu estava aperfeiçoando meu jejum o manter uma comunhão mais profunda com Cristo, o principal propósito do jejum.

## Meu período de oração

*Senhor, quero conhecer a ti de maneira mais íntima,*
*conforme prossigo neste jejum.*

*Senhor, revela-te a mim conforme busco conhecer-te cada vez mais.*

*Senhor, confesso minha carnalidade e minha falta de amor por ti. Perdoa-me por ser tão superficial; leva-me a um relacionamento mais profundo contigo.*

*Senhor, eu me entrego neste jejum para conhecer a ti melhor do que jamais conheci em toda a minha vida. Amém.*

**Minhas respostas de oração**

______________________________________________

______________________________________________

______________________________________________

______________________________________________

______________________________________________

______________________________________________

Para sugestões de receitas, veja as páginas 217-231.

## ❧ 11º DIA ❧

# Orar é perguntar

*Jejuar não se restringe à abstinência de comer e beber. Na verdade significa a abstinência voluntária por certo tempo em relação a vários tipos de necessidades, como comer, beber, dormir, descansar, bater papo com pessoas e assim por diante. O propósito de tais abstinências por um longo ou curto período de tempo é relaxar de algumas amarras que nos prendem a este mundo, de maneira que possamos concentrar todo o nosso poder espiritual nas coisas eternas e que não podemos ver.*

O. Hallesby

Chegamos agora a uma questão bem interessante: Por que Deus quer que seus filhos peçam algo a ele? Deus não é onisciente? Ele já não sabe quais são nossas necessidades? E Jesus não disse: "[...] porque o seu Pai sabe do que vocês precisam, antes mesmo de o pedirem" (Mateus 6.8)? Então por que ficar sem comer durante a oração?

Uma vez que a oração é um relacionamento com Deus, você já pensou na possibilidade de Deus querer passar tempo com você? Talvez essa seja a razão pela qual Deus nos dá essa oportunidade de fazermos perguntas a ele. Ele quer passar tempo conosco.

Ricky Skaggs, quatro vezes ganhador do Grammy, leu meu livro *Jejuando para o crescimento espiritual* e me procurou dizendo que gostaria de passar um dia comigo apenas para aprender sobre jejum e oração. Assim, nos encontramos por toda uma quarta-feira de setembro, em 2007.

*Sir* Edmundo Hillary, o primeiro homem a escalar o monte Eve-reste, leu o mesmo livro e também me procurou dizendo que ele que-ria conversar comigo acerca do jejum. Eu estava planejando viajar até a Nova Zelândia, para tomarmos um chá juntos, mas ele morreu antes de nosso encontro.

Se pessoas famosas quisessem se encontrar com você para falar sobre o jejum, você certamente acharia espaço na agenda para que isso acontecesse. Mas Deus é maior do que qualquer pessoa famosa; então, você deve organizar sua agenda para conversar com Deus en-quanto jejua. Seu jejum poderá levar à mais importante conversa da História, entre você e o Senhor do Universo.

Contudo, você está fazendo mais do que falar com Deus acerca de seu objetivo de oração. Você está modificando sua dieta de dez para vinte e um dias, de maneira que poderá perguntar a Deus por algo especial e, para você, provavelmente, bastante necessário.

Pedir é uma forma elementar de dependência de Deus. Quando você pede um conselho a um parente ou amigo, isso não demonstra que você confia nele? Portanto, você estará honrando Deus ao pedir respostas para suas orações. Isso mostra que você acredita que ele pode fazer algo em prol do que está pedindo.

Pedir coloca você em uma posição de parceria com Deus. Quan-do você pede a alguém que o ajude em um projeto, isso não significa que os dois trabalharão juntos? Portanto, pense em quão próximo você ficará de um amigo ao pedir que ele ore com você acerca de alguma necessidade (v. Mateus 18.19).

Quão perto de Deus você ficará quando lhe pedir auxílio?

Mais uma coisa: Você deve pedir, pois Deus gosta de ser o centro de nossas petições (v. Mateus 7.7,8). Os pais não gostam quando seus filhos pedem coisas a eles? Claro! Os pais provavelmente já sabem aquilo de que os filhos necessitam — antes mesmo que eles peçam. E saber que os filhos podem contar com os pais em qualquer dificuldade não faz os pais se sentir felizes? O amor aumenta em um relacionamento de dependência e confiança.

Levo meus netos — e seus pais — para comer fora aos domingos, após a igreja, em um restaurante italiano que todos amamos. Bem perto dali há uma loja de 1 dólar. Levo as crianças ali após terem comido e digo: "Vocês podem pegar o que quiserem". Elas enlouquecem diante das prateleiras, tentando descobrir a melhor escolha. Dois de meus netos, os quais têm uma mãe bem rígida na disciplina, pegam apenas uma lembrança por semana. Outros vivem com uma mãe que é menos rígida que a outra. Estes, no início, pegavam dois ou três itens. Então, começaram a pegar quatro ou cinco. Ultimamente têm escolhido de 10 a 12 itens. *O que são alguns dólares*, costumo pensar, *comparados à alegria que temos com essa experiência?*

Pois esse momento nos leva à comunhão. Quando pedimos algo a Deus, isso enriquece nossa comunhão com o Pai. Dizemos a ele o que queremos e nos aproximamos o máximo possível, a fim de aprofundar nosso relacionamento e também obter as coisas de que necessitamos.

Não podemos deixar de ressaltar as lembranças inesquecíveis. Levo meus netos à loja de 1 dólar a fim de criar lembranças aprazíveis sobre seu avô. Da mesma forma, cada vez que você ganha algo de Deus, lembra-se de uma antiga resposta de oração respondida, e isso o motiva a pedir de novo e de novo. É claro que isso o mantém em um ótimo relacionamento com Deus, de maneira que você continua sempre motivado a pedir algo de novo.

Eu ainda posso ver um desses meus pequenos companheiros que pegam de 10 ou 12 itens. Ele para ao lado de minha cadeira enquanto termino meu macarrão com almôndegas ou meu bife à parmegiana. Ele não fala nada; fica apenas ali, parado.

Eu sei o que ele quer. Então, termino rapidamente a refeição e seguimos para a loja de 1 dólar. Eu amo isso! Portanto, aproxime-se de seu Pai celestial e espere pela resposta que você procura.

## Peça em nome de Jesus

Jesus disse aos discípulos: "Até agora vocês não pediram nada em meu nome. Peçam e receberão, para que a alegria de vocês seja completa" (João 16.24). Ele estava apresentando uma nova forma de relacionamento de petição e oração para com o Pai. Seus seguidores teriam com ele um relacionamento de oração diferente.

O que seria essa nova forma de oração relacional? "Peçam e receberão, para que a alegria de vocês seja completa" (João 16.24). Essa parte sobre a alegria significa que Jesus estava na realidade dizendo: "Peçam em meu nome, de acordo com minha vontade, e ele certamente a concederá. A alegria de vocês será como um rio transbordante!" (João 16.24, *A Mensagem*).

Jesus não estava usando seu nome como uma espécie de mantra nem como um código secreto para abrir determinados tesouros. Quando Jesus disse para que pedíssemos em seu "nome", não estava apenas dizendo para adicionarmos seu nome ao final de nossas orações a fim de conseguir algo do Pai, embora costumeiramente finalizemos nossas orações em nome de Jesus.

Para orar em nome de Jesus, é preciso entender a vantagem de ter nossos pecados levados em sua morte (v. João 1.29). Em razão do fato de seu sangue nos purificar de todo pecado (v. 1João 1.7), sua morte selou nossa relação com o Pai por toda a eternidade. Assim, cada vez que oramos em nome de Jesus, utilizamos o que ele fez na cruz para nos ligar a nosso Pai celestial.

No entanto, há também um relacionamento presente. Quando oramos em nome de Jesus, identificamo-nos com uma nova vida celestial em Jesus. Mais de 170 vezes no Novo Testamento somos incentivados a estar "em Cristo". Ficamos tão perto do Pai quanto Jesus fica. Assim, peça aquilo de que você necessita em "nome de Jesus"; ele nos prometeu ouvir e responder. Paulo nos fala sobre esse novo relacionamento:

> Todavia, Deus, que é rico em misericórdia, pelo grande amor com que nos amou, deu-nos vida com Cristo, quando ainda estávamos mortos em transgressões — pela graça vocês são salvos. Deus nos ressuscitou com Cristo e com ele nos fez assentar nos lugares celestiais em Cristo Jesus (Efésios 2.4-6).

Outro ponto sobre a oração em nome de Jesus é que ele está em nosso coração. Você o convidou para que ele entrasse em sua vida por ocasião de sua conversão. Paulo orou pelos efésios, para que eles entendessem seu novo relacionamento, ou seja, "para que Cristo habite no coração de vocês mediante a fé" (Efésios 3.17). Portanto, peça em nome de Jesus pelo fato de ele estar em seu coração.

### Condições

Obviamente, você não poderá pedir qualquer coisa que desejar, nem receberá tudo quanto pedir em oração. Deus não se dispõe a fazer coisas impossíveis, como, por exemplo, retornar ao passado para desfazê-lo. Você não pode pedir que Deus reverta um aborto que desejaria jamais ter cometido.

Deus também não dará algo que magoará você, ou algo que em última instância não deva receber. Vamos tomar como exemplo meu netinho, aquele que adora pegar um monte de coisas da loja de 1 dólar. Eu não lhe compraria uma motocicleta nova ou um par de sapatos de luxo de 200 dólares. Ele não poderia usá-los, além de não estar preparado para isso.

Do mesmo modo eu também não compraria algo que pudesse machucá-lo — maconha, cerveja ou um pacote de cigarros.

Certo domingo um de meus netos escolheu uma caixa de baralho — não comprei aquilo por ser um símbolo de jogatina. Eu o levei até as prateleiras de biscoitos e disse: "Tenho algo melhor para você". Em vez de uma caixa de baralho, ele obteve uma caixa de *cookies* de chocolate. Sorriu e ficou todo feliz.

Penso em Elias no deserto, sentado embaixo daquele pé de giesta, chorando. Ele orou pedindo para morrer: "Já tive o bastante, SENHOR. Tira a minha vida" (1Reis 19.4). Mas Deus estava sorrindo diante de toda essa situação, pois tinha algo bem melhor para Elias. Posso até ouvir Deus dizendo: "O que você acha de ser levado para o céu num redemoinho? O que você acha de nunca morrer?".

Na próxima vez em que você pedir algo e Deus disser não, talvez ele tenha alguns *cookies* de chocolate embrulhados em celofane para você, em lugar de uma caixa de baralho.

A primeira condição para orar em nome de Jesus é a petição, pode acreditar! Orar é tão simples quanto chegar e pedir. Você pode manter sua adoração em um alto nível de adoração e louvor — o que é bom e necessário para uma vida de adoração —, mas, se você nunca pedir, talvez nunca consiga aquilo de que precisa.

Tiago não reafirma esse tipo de oração? "[Vocês] não têm, porque não pedem" (Tiago 4.2). Então, talvez você não tenha alcançado nenhum dos objetivos de seu jejum porque não tem pedido da maneira certa, com a atitude certa e no tempo certo.

A segunda condição é pedir repetida e continuamente: "Não barganhem com Deus. Sejam objetivos. Peçam aquilo de que estão precisando. Não estamos num jogo de gato e rato, nem de esconde-esconde" (Mateus 7.7,8, *A Mensagem*).

Deus está dizendo que você deve incomodá-lo? Não! Quando Deus nos diz para pedirmos continuamente, quer que mantenhamos firme nossa fé nele. Há ocasiões em que Deus espera para ver se somos sinceros. Algumas vezes Deus quer que você se mantenha em oração porque ele mostrará vagarosamente a resposta. Em outras circunstâncias, quanto mais tempo você se mantiver em oração, mais respostas obterá. Se a oração é semelhante ao combustível que faz o motor girar, então você precisa de oração continuamente, do mesmo modo que tenho de encher constantemente o pequeno reservatório de um cortador de grama que comprei em uma loja especializada. Nunca tinha visto um cortador de grama como esse. Preciso alimentar o reservatório em média umas quatro ou cinco vezes para cortar toda a minha grama. Há ocasiões em que você deve manter-se em oração contínua para obter uma resposta.

A terceira condição é permanecer em Cristo, a Palavra de Deus em pessoa. Ele disse: "Se vocês permanecerem em mim, e as minhas palavras permanecerem em vocês, pedirão o que quiserem, e lhes será concedido" (João 15.7). Geralmente as pessoas pensam que "permanecer" significa apenas meditar em Cristo ou manter comunhão com ele, mas há ainda outra interpretação simples. Permanecer significa obedecer a seus mandamentos e suas leis. "Os que obedecem aos seus mandamentos nele permanecem, e ele neles" (1João 3.24).

Portanto, a terceira condição está relacionada à obediência. Mais adiante João afirma: "e recebemos dele tudo o que pedimos, porque obedecemos aos seus mandamentos e fazemos o que lhe agrada" (1João 3.22). Como filho, eu sabia que devia obedecer a minha mãe se quisesse que ela preparasse trufas de chocolate ou sorvete.

O que nos leva a acreditar que podemos escandalizar o nome do Senhor, ou satisfazer nossa sensualidade, ou praticar sexo promíscuo ou desobedecer a nossos pais, e ainda assim esperar que Deus responda a nossas orações? Os mais obedientes recebem mais respostas.

O que significa deixar que as palavras de Jesus, ou a Bíblia, permaneçam em você? Significa preencher sua vida com as Escrituras. Você vai à igreja a fim de ouvir a Bíblia ser ensinada e pregada. Você a lê em um local particular; você a memoriza e nela medita (v. Salmos 1.1-3). Você preenche sua vida com a Palavra de Deus escrita, o que equivale a preencher sua vida com o próprio Jesus, a Palavra de Deus viva.

Quando você vive segundo as Escrituras, está vivendo uma vida que o qualifica para obter respostas de oração. Quando a Bíblia controla sua vida, você não faz petições pessoais. Não pede categoricamente 1 milhão de reais para ser feliz ou saciar algum desejo de uma lista que você talvez tenha redigido. Quando sua vida está preenchida pela Bíblia, as Escrituras controlam seus desejos de maneira que você começa a desejar coisas que o próprio Deus deseja. Aqueles que são controlados pela Bíblia oram de forma mais coerente com a vontade de Deus.

Isso nos leva à quarta condição. Temos de orar segundo a vontade de Deus. João prometeu: "Esta é a confiança que temos ao nos aproximarmos de Deus: se pedirmos alguma coisa de acordo com a vontade de Deus, ele nos ouvirá. E se sabemos que ele nos ouve em tudo o que pedimos, sabemos que temos o que dele pedimos" (1João 5.14).

Note a progressão na promessa de Deus em 1João 5.14,15. Primeiro, pedimos coisas de acordo com a vontade de Deus; segundo, sabemos que Deus nos ouve quando pedimos segundo sua vontade; e, terceiro, sabemos que receberemos os pedidos que a ele fizemos.

Lembra-se daquele *rock* de 1960, cantado por Janis Joplin? *Lord, won't you buy me a Mercedes, all my friends have Porsches* [Senhor, tu não me poderias dar uma Mercedes? Todos os meus amigos já têm um Porsche.].[1] Podemos realmente achar que a vontade de Deus é que tenhamos uma mansão em Beverly Hills, ou um carro de luxo, ou que ganhemos na loteria? Não! Você precisa orar de acordo com a vontade de Deus para obter respostas para sua vida.

Deus mantém muitos de seus filhos em aperto financeiro porque, se eles tivessem o dinheiro que desejassem, ou pedissem, passariam o inverno na Califórnia e o verão na Riviera Francesa preenchendo as vaidades da carne (as satisfações físicas), os desejos dos olhos (coisas) ou as satisfações da vida (posição ou fama), o que acabaria por destruí-los (v. 1João 2.15-17).

A quinta condição é a fé: "Sem fé é impossível agradar a Deus, pois quem dele se aproxima precisa crer que ele existe e que recompensa aqueles que o buscam" (Hebreus 11.6). Para obter uma recompensa, você precisa crer que Deus existe; portanto, busque-o diligentemente nas petições que você deseja. Não é esse o motivo pelo qual você está jejuando há dez ou vinte e um dias?

Jesus ordenou: "Tenham fé em Deus" (Marcos 11.22). Depois disse que podemos exercitar nossa fé memorizando e dizendo trechos das Escrituras. É isso o que fazemos durante nossas orações: "Eu lhes asseguro que se alguém disser a este monte: 'Levante-se e atire-se no mar', e não duvidar em seu coração, mas crer que acontecerá o que diz, assim lhe será feito" (Marcos 11.23). Atente para o uso do verbo "dizer" duas vezes. Isso significa que você *dirá* pela fé aquilo que deseja receber pela oração. Portanto, fale hoje mesmo a Deus sobre o objetivo de fé pelo qual você está jejuando.

Assim, o quinto segredo sobre obter respostas de oração é a fé. Após nos ter orientado a exercitar nossa fé, Jesus nos diz como fazer isso:

---

1 Cf. Janis Joplin Lyrics. Disponível em: <http://www.google.com/search?hl=en&q=Lord%2C+won%27t+you+buy+me+a+Mercedes&rlz=1W1GZEZ_en&aq=f&oq=f&aqi=g4>. Acesso em: 18 jun. 2009.

"Portanto, eu lhes digo: Tudo o que vocês pedirem em oração, creiam que já o receberam, e assim lhes sucederá" (Marcos 11.24).

Você não tem buscado Deus de forma diligente por intermédio do jejum e orado por um longo período? Você não iniciou seu jejum como uma declaração de fé que você crê fazer parte da vontade de Deus? Quanto mais tempo você gasta em oração e quanto mais você jejua, mais forte se torna sua fé.

Fé é acreditar que Deus ouvirá e responderá. Fé é uma experiência crescente: "[...] do princípio ao fim é pela fé, e como está escrito: 'O justo viverá pela fé' " (Romanos 1.17). Se você iniciou um jejum pela fé, então, quanto mais orar, mais fortalecido se sentirá.

A sexta condição lida com os frutos da fé. As pessoas de oração que buscam a Deus mostram frutos em sua vida. Somos incentivados a permanecer em Cristo a fim de darmos frutos: "Eu sou a videira; vocês são os ramos. Se alguém permanecer em mim e eu nele, esse dará muito fruto; pois sem mim vocês não podem fazer coisa alguma" (João 15.5).

Depois Jesus enfatiza: "Vocês não me escolheram, mas eu os escolhi para irem e darem fruto, fruto que permaneça, a fim de que o Pai lhes conceda o que pedirem em meu nome" (João 15.16). Aqui Jesus atrela as respostas de oração aos frutos produzidos em nossa vida.

Discutimos aqui seis condições para orarmos em nome de Jesus. Podemos ter nossas orações ouvidas por causa do *fator relacional*. Não nos alegramos em dar presentes a nossos amigos quando eles nos pedem? Jesus disse: "Vocês serão meus amigos, se fizerem o que eu lhes ordeno" (João 15.14). Quando estamos vivendo um relacionamento de amizade com Jesus, e andamos com ele em harmonia, não será esse o momento em que nossas orações serão respondidas?

## Meu período de oração

*Senhor, creio que tu existes, que me salvaste e que respondes a minhas orações, assim vem e responde às orações pelas quais estou jejuando.*

*Senhor, sei que Jesus entrou em meu coração e habita em mim; agora venho por intermédio de Jesus pedir pelo objetivo de oração para o qual estou jejuando.*

*Senhor, Jesus está assentado à tua direita em glória, e eu estou posicionado nele. Agora eu venho por meio de Cristo obter as respostas pelas quais estou jejuando.*

*Senhor, dá-me fé para crer em ti a fim de obter a resposta de oração para meu jejum. "Creio, ajuda-me a vencer a minha incredulidade." Amém.*

## Minhas respostas de oração

______________________________

______________________________

______________________________

______________________________

______________________________

______________________________

Para sugestões de receitas, veja as páginas 217-231.

❧ 12º DIA ❧

# Jejuando para louvar a Deus

*Não é errado jejuar, se o fizermos de forma correta e por um motivo certo. Jesus jejuou (Mateus 4.3); da mesma forma fizeram os membros da igreja primitiva (Atos 13.2). Jejuar ajuda a disciplinar os apetites do corpo (Lucas 21.34) e mantém retas nossas prioridades espirituais. Mas jejuar nunca deve transformar-se em uma oportunidade para tentação (1Coríntios 7.7). Pois apenas se privar de benefícios naturais (como comida ou sono) não é jejuar. Precisamos dedicar-nos a Deus e adorá-lo. A menos que haja devoção do coração (v. Zacarias 7), não haverá benefício resultante.*

WARREN W. WIERSBE

Você já se perguntou por que deveria adorar a Deus quando ele já tem todos os anjos do céu o adorando? Afinal de contas, eles clamam continuamente: "Santo, santo, santo é o SENHOR dos Exércitos, a terra inteira está cheia da sua glória" (Isaías 6.3).

O louvor que eles oferecem a Deus pode parecer bem melhor do que qualquer louvor que possamos prestar-lhe. Por quê? Porque os anjos não podem pecar; portanto, adoram a Deus com um coração puro. Além disso, eles não são influenciados por egoísmo e ambiguidade, nem seus pensamentos se dispersam enquanto eles estão orando. Isso significa que os anjos não são influenciados por desejos terrenos, como nós, quando adoramos.

Outra coisa: os anjos adoram a Deus constantemente: "Dia e noite repetem sem cessar: 'Santo, santo, santo é o Senhor, o Deus todo-poderoso, que era, que é e que há de vir' " (Apocalipse 4.8). Mas nós não adoramos a Deus continuamente, porque estamos ocupados ganhando dinheiro ou cuidando de nossa família, ou fazendo mil e uma outras coisas que se acumulam em nossa agenda.

Acaso os anjos não sabem bem mais sobre Deus do que nós? Eles assistem na presença de Deus como seus espíritos ministradores (v. Hebreus 1.14).

Isso levanta uma questão interessante: uma vez que Deus tem uma multidão de anjos para adorá-lo continuamente, e eles são mais puros do que nós, por que o Senhor precisa de nossa adoração? Tecnicamente, a adoração é a única coisa que Deus não pode fazer por si só. Se escrevo uma autobiografia sobre meu próprio desempenho e me engrandeço diante de todos mostrando quanto sou bom no que faço, quem acreditaria em mim? As Escrituras não dizem: "mas o que prova o homem são os elogios que recebe" (Provérbios 27.21)?

No entanto, Deus já não sabe tudo sobre sua grandeza e seu poder? Ainda que Deus louvasse a si mesmo, isso traria algum bem? Portanto, Deus não pode adorar a si mesmo; ele quer que sejamos adoradores autênticos. Para que tenhamos um coração sincero, Jesus nos disse: "[...] os verdadeiros adoradores adorarão o Pai em espírito e em verdade, pois o Pai procura a tais que assim o adorem" (João 4.23, *Almeida Edição Contemporânea*). Assim, Deus busca adoradores no meio de seu povo para manifestar todas as coisas que ele é e tudo quanto pode fazer.

Em Salmos 103.1, Davi escreveu: "Bendiga o SENHOR a minha alma! Bendiga o SENHOR todo o meu ser!". Primeiro, isso ensina que devemos aproximar-nos de Deus com todo o nosso coração, o que significa que nada está oculto ou escondido de sua visão. Não devemos ser espontâneos na adoração a Deus? Ele sabe tudo o que somos e fazemos; portanto, devemos ser totalmente sinceros ao adorar. Segundo, quando bendizemos Deus, adicionamos valor a ele da mesma forma que o fazemos quando abençoamos alguém neste mundo. A palavra "bênção" significa "adicionar valor" a alguém. Posso abençoar meu neto financeiramente dando a ele algum dinheiro. Posso abençoar minha esposa de forma bem emotiva servindo um café na cama quando ela acordar. Abençoamos as pessoas espiritualmente quando as ajudamos a conhecer a Bíblia ou a seguir os mandamentos de Deus.

De que maneira, porém, podemos abençoar Deus? Ele não precisa de nada que porventura possamos dar-lhe; não podemos fazer nada que torne sua vida melhor. Não podemos oferecer-lhe nada que já não tenha. Deus não precisa de absolutamente nada.

Contudo, quando bendizemos o Senhor, nós lhe damos algo que ele ainda não tem. Adicionamos valor ao Reino de Deus por meio da adoração, como agradecimento por ele ter redimido nossa alma e transformado nossa vida. Reconhecemos a bondade de Deus em nossa salvação e sua grandeza em nos ofertar a vida eterna.

Quando adoramos a Deus, esquecemo-nos de nós mesmos e nos achegamos a ele, talvez mais perto do que estávamos anteriormente. Afastamo-nos de nossas orações em causa própria e de nossas petições e nos concentramos nele e em sua glória. Quando adoramos a Deus, não estamos pedindo algo em causa própria, nem que sejamos livrados de algum tipo de encrenca, nem sequer pedimos por sua proteção. Nossa adoração não tem nada a ver com nossos interesses; tem tudo a ver com Deus.

## Por que adorar a Deus?

Você já parou para pensar que somos instruídos a adorar a Deus? O escritor de Hebreus diz: "Por meio de Jesus, portanto, ofereçamos continuamente a Deus um sacrifício de louvor, que é fruto de lábios que confessam o seu nome" (Hebreus 13.15). Assim como um pessegueiro produz pêssego, nossos lábios devem produzir palavras de gratidão provenientes de nosso coração, pois somos agradecidos pelo fato de Deus nos ter salvado.

Há, porém, ainda outra razão para adorarmos a Deus. Vamos pensar um pouco no que a adoração faz conosco. Todos precisamos de esperança nesta vida. Quando adoramos a Deus por causa de sua proteção sobre nossa vida, somos elevados a outra dimensão e ficamos bem mais próximos dele. Contudo, se esperamos pelo pior e pelo fracasso, não há como expressar ação de graças nem adoração.

O louvor nos mantém livres de sermos lançados em uma circunstância depressiva da vida. O louvor foca nossa vida em algo maior que nossas limitações presentes. A adoração nos livra do egoísmo e do negativismo.

Pense bem no que o louvor nos ensina. Toda vez que adoramos a Deus, começamos a aprender algo mais sobre ele — sobre o que ele fez por nós e o que nos prometeu que faria no futuro. E, conforme aprendemos mais e mais, isso aprofunda nosso relacionamento com ele.

Talvez seja por isso que os discípulos "permaneciam constantemente no templo, louvando a Deus" (Lucas 24.53) e que Paulo dedicou a epístola aos efésios "para o louvor da sua gloriosa graça" (Efésios 1.6).

## Praticando a adoração

Nunca atingiremos o mesmo patamar de adoração dos anjos que adoram a Deus, entretanto podemos orar como Davi: "Que as palavras da minha boca e a meditação do meu coração sejam agradáveis a ti, SENHOR, minha Rocha e meu Resgatador!" (Salmos 19.14). Ainda que não possamos orar na linguagem dos anjos, podemos orar com as palavras de Davi e pedir que Deus aceite nossa adoração diária.

Pense em todas as grandes coisas que Deus já operou em sua vida. Não seria nada mal fazer uma lista de todas as bênçãos que Deus já proveu e repeti-la em voz alta como em louvor a Deus. Paulo nos aconselhou: "Não andem ansiosos por coisa alguma, mas em tudo, pela oração e súplicas, e com ação de graças, apresentem seus pedidos a Deus" (Efésios 4.6). Portanto, devemos usar as ações de graças como uma ferramenta que nos ajuda a adorar melhor no futuro.

Assim, podemos fazer como Davi sugere: "Proclamem a grandeza do SENHOR comigo; juntos exaltemos o seu nome" (Salmos 34.3). Atentem para a palavra "grandeza". É impossível engrandecer Deus, porque ele não pode ser mais engrandecido do que já é. Então, como engrandecer Deus? Pense nos óculos de leitura. Eu os utilizo para minha leitura do jornal e da lista telefônica. Quando uso óculos, as palavras parecem aumentar diante de meus olhos, mas sei que elas não aumentaram de fato no papel.

Assim, quando você engrandece Deus, ele se torna maior diante de seus olhos e de seu coração. E o que faz você quando isso ocorre? Você responde a Deus de uma forma maior e melhor. Você é absorvido pela presença de Deus e fica preparado para incrementar seu jejum com oração.

Desfrute a contínua presença de Deus em sua vida. Davi disse: "Bendirei o SENHOR o tempo todo! Os meus lábios sempre o louvarão" (Salmos 34.1). Conforme o dia de hoje se desenrolar, observe de forma bem consciente as pequenas coisas nas quais você pode ver Deus em sua vida. Faça uma breve oração de agradecimento por tudo quanto ele tem feito. Quanto mais você agradece a Deus pelo que ele tem feito em sua vida, mais a presença do Senhor será nela manifesta.

## Meu período de oração

*Senhor, vou adorar-te do fundo de meu coração e não negarei nenhuma parte de meu ser nesta adoração.*

*Senhor, engrandecerei teu nome continuamente e vou louvar-te nas coisas grandes e pequenas de minha vida.*

*Senhor, perdoa-me quando não noto tua presença em minha vida; às vezes fico cego a respeito de tua obra em mim. Ajuda-me a ver mais claramente conforme desenvolves tua vontade para minha vida e ensina-me a ser grato por tudo o que estás operando.*

*Senhor, obrigado por revelar-te a mim. Amém.*

## Minhas respostas de oração

______________________________________________

______________________________________________

______________________________________________

______________________________________________

______________________________________________

______________________________________________

Para sugestões de receitas, veja as páginas 217-231.

## ❧ 13º DIA ❧

# Jejuando para identificar pecados

*Ainda que existam muitos tipos de jejuns, o mais comum e aquele que recomendo para iniciar é abster-se de comida, mas não de bebida, e apenas por um período determinado. No que se refere a beber, todos concordamos que a água é básica. Alguns adicionam café ou chá; outros acrescentam sucos de frutas. Todos nós também concordamos que algo como milk-shake seria um exagero e sairia do espírito de jejum. Seja como for, o jejum envolve uma prática intencional de autonegação, e essa disciplina espiritual é conhecida há séculos como algo que nos abre para Deus e a ele nos direciona [...] até o ponto em que o jejum se torna uma constante em nossa vida cristã diária, de maneira tanto individual como congregacional, e nos tornamos mais eficientes em nossa batalha espiritual.*

C. Peter Wagner

Em outubro de 1973, os estudantes da Universidade de Liberty testemunharam a presença de Deus em um avivamento que resultou em um jejum de 60 horas. O tradicional culto de oração de quarta-feira à noite acabou pouco depois das 21 horas, e o avivamento que transformou muitas vidas começou às 22 horas.

No auditório principal da universidade funcionava a Igreja batista em Thomas Road, o principal lugar onde os estudantes se reuniam, pois a universidade não tinha muitas instalações, e a maioria dos estudantes morava em pequenas casas ao redor da igreja.

Cerca de 35 estudantes se espalhavam em pequenos grupos no meio do auditório quando um jovem se dirigiu ao púlpito chorando e disse: "Vocês pensam que eu sou salvo, mas não sou...". Ele confessou suas práticas de mentir, colar nas provas, seu egoísmo e alguns outros pecados.

Os estudantes, chocados, ouviram atentamente, até que ele se ajoelhou diante do púlpito para orar. Alguns se posicionaram para orar ao lado dele; outros intercederam em pequenos grupos. Um espírito de reverência tomou conta do salão. Então, sobre os sons de orações sussurradas, outro rapaz se dirigiu ao púlpito. Ele também começou dizendo: "Vocês imaginam que eu também sou salvo, mas nunca recebi Cristo...". Ele confessou seus pecados e se ajoelhou diante do púlpito para orar. Vários se juntaram a ele.

Então, o som do piano preencheu os espaços vazios. Uma jovem senhora tinha uma chave, abriu a tampa do instrumento e começou a tocar. Os hinos ao fundo não pararam por aproximadamente sessenta horas. Outros pianistas sentavam-se em frente ao corredor, esperando sua vez de tocar. Era como se todos já tivessem combinado: "Se a música parar, o avivamento também pode acabar". Dentro de poucos minutos, a música melodiosa do órgão se juntou ao som do piano. Muitos torciam para que os organistas mantivessem o avivamento em curso.

Depois uma garota deu um testemunho: "Todos pensam que sou salva pelo fato de ter sido batizada quando era mais jovem... mas não sou...".

Por volta da meia-noite, alguém telefonou para o pastor Jerry Falwell e disse: "Acho melhor você vir para a igreja, porque um avivamento está acontecendo aqui". O pastor chegou usando roupas informais, sem terno e gravata. Havia certa urgência. No decorrer da noite, vários outros estudantes e membros foram até a igreja. Alguns receberam um telefonema de amigos; outros foram despertados pelo Espírito Santo. Por volta das 6 horas da manhã, havia mais de 2 mil pessoas no auditório.

A universidade ficou fechada por dois dias; os estudantes não foram para as aulas; aqueles que possuíam lojas ali tiveram de fechar as portas. A presença de Deus estava ali na igreja, e ninguém queria ir embora.

Quando os estudantes ficaram tão cansados que mal conseguiam manter-se acordados, começaram a dormir nos assentos; outros dormiram no chão do saguão de espera. Quando Jesus está em um lugar, quem tem vontade de ir embora? A multidão se foi juntando e chegou a mais de 4 mil pessoas.

Não houve uma pregação formal, mas o povo formou uma longa fila diante do púlpito. Quando chegava a vez de cada um falar, alguns confessavam seus pecados; alguns anunciavam que tinham acabado de fazer uma oração para receber Cristo; outros testemunhavam sua fé; outros apenas pediam uma música para que todos entoassem juntos, ou que tal pessoa pudesse cantar.

Durante sessenta horas o ambiente da reunião oscilava entre períodos de reverência e meditação e aclamações de "Aleluia" e "Amém".

O grande avivamento do Wheaton College e da Universidade de Asbury foi explosivo. Quando o Espírito Santo veio como uma granada, o povo saiu espalhando o espírito de avivamento por todos os cantos. Já na Universidade de Liberty o avivamento foi implosivo. O povo foi colocado na presença de Deus, e ninguém se atreveu a sair. Eles não conseguiam ir embora; pareciam estar sendo puxados para dentro de um turbilhão.

Muitos que anteriormente haviam professado ser salvos acabaram verdadeiramente nascendo de novo, pois tinham feito uma confissão sem sinceridade de coração. Deus mostrou muitos dos pecados escondidos de seu coração. O orgulhoso agora reconhecia sua vanglória como um pecado de arrogância contra Deus. Aqueles com pecadilhos inofensivos se arrependeram ao notar que esses pecados eram contra Deus. E é claro que houve testemunhos sensacionais de quem escondia pecados horrendos.

É assim que começa um jejum: quase ninguém deixou a igreja para se alimentar. Cristo era o Pão da Vida, e manter a comunhão com ele satisfez qualquer fome que alguém pudesse sentir. O povo estava tão entretido na comunhão com Deus que não se preocupou em comer; não, ele não queria comer.

Um estudante que telefonou para mandarem uma *pizza* se sentiu tão desconfortável que a maior parte da comida acabou no lixo, ainda que vários ali não tivessem comido o dia todo. Algumas vezes jejuar é uma batalha, mas outras vezes — como no avivamento de Liberty — o Senhor se manifesta tão fortemente que o povo se esquece de comer: "Provem, e vejam como o Senhor é bom. Como é feliz o homem que nele se refugia!" (Salmos 34.8).

Quando Deus abençoou os estudantes de Liberty com sua presença, ocorreu o que costumo chamar de "atmosfera da presença de Deus". Assim como você pode sentir fadiga em um dia de mormaço, também pode experimentar a presença de Deus. O avivamento é definido quando Deus derrama sua presença no meio de seu povo, como visto na promessa do Senhor: "E, depois disso, derramarei do meu Espírito sobre todos os povos. Os seus filhos e as suas filhas profetizarão, os velhos terão sonhos, os jovens terão visões" (Joel 2.28).

Naquele avivamento de sessenta horas, Deus abençoou os estudantes da Universidade de Liberty porque eles estavam cumprindo as

Escrituras: "Bem-aventurados os que têm fome e sede de justiça, pois serão satisfeitos" (Mateus 5.6).

O avivamento terminou por volta das 7 da manhã de sábado. Um jovem foi, então, ao púlpito "confessar" seus pecados, incluindo no momento de testemunho um pecado sexual que ele praticava no ensino médio. Mas de alguma forma aquilo pareceu forçado. Algumas pessoas não sentiam um arrependimento sincero pelo pecado, nem existia ali quebrantamento algum. Isso ocorria ainda que o Espírito dissesse: "Eu não concordo com isso", e, então, ele retirou sua presença naquele momento.

Muitos estudantes já estavam deixando o encontro, ainda que o líder lutasse para continuar com a reunião. Às 9 horas da manhã todos perceberam que era hora de encerrar. Então, foi impetrada a bênção pastoral, e todos foram para casa.[1]

## E agora?

Nesse avivamento o Espírito Santo revelou ao povo o pecado de cada um quando buscaram a face de Deus e, jejuando, arrependeram-se de seus pecados. Você está agora em um jejum de dez ou vinte e um dias, orando por um objetivo ou uma razão particular que Deus pôs em seu coração. O que esse evento representa para você?

Talvez Deus o tenha conduzido a esse jejum de dez ou de vinte e um dias para revelar alguma atitude pecaminosa, ação ou contemplação. Talvez Deus queira que você lide com seu pecado antes de dar a você o grande impulso que você está buscando.

Vejamos a razão pela qual poderia haver barreiras para sua vitória espiritual. Seu pecado pode ser pequeno, algo insignificante que

---

1 Towns, Elmer. **What's Right with the Church.** Ventura, CA: Regal Books, 2009. p. 84-86. V. tb. Towns, Elmer. **The Ten Greatest Revivals Ever.** Ann Arbor, MI: Servant Publications, 2000. p. 13-14.

pode estar atrapalhando seu progresso espiritual, mas é importante que você esteja consciente disso. Por quê?

Por vezes ficamos como cegos diante do pecado. Ele está ali, mas não o vemos. Somos como um homem que tem um tumor escondido no ventre a esvanecer suas forças, mas ainda não sabe disso. Ele costumava correr por 18 buracos de golfe e ainda carregava seus instrumentos. Vagarosamente ele vai perdendo suas forças e, então, precisa seguir de carrinho. Em seguida reduz seu jogo para nove buracos porque está cada vez mais cansado. Finalmente, o tumor corta sua estamina e ele nem tem mais vontade de jogar. Então, uma colonoscopia revela um câncer, o homem passa por uma cirurgia e, assim, volta a jogar os 18 buracos no golfe.

O pecado — como o câncer — mina nossa força espiritual, de maneira que não podemos mais fazer para Deus as coisas que fazíamos anteriormente. Por isso o pecado corta a nossa "estamina". Não queremos mais orar, ler a Bíblia, nem ir à igreja onde adoramos e louvamos a Deus.

Antes de acabar completamente com nossas forças, o pecado nos cega. "O deus desta era cegou o entendimento dos descrentes, para que não vejam a luz do evangelho da glória de Cristo, que é a imagem de Deus" (2Coríntios 4.4).

Quanto mais permanecemos na luz, mais percebemos o que Deus está tentando dizer. Nesse jejum, Deus começa a nos mostrar os pecados escondidos que bloqueiam a fluência de suas bênçãos. É como quando sujeiras entopem o bico do combustível e o motor trabalha apenas com metade da potência.

Quando você se livra da sujeira, a fluência produzida pela gasolina dá nova vida ao motor.

No entanto, simplesmente ter consciência sobre seu pecado escondido não é suficiente. Você precisa confessá-lo a Deus a fim de obter o perdão: "Se confessarmos os nossos pecados, ele é fiel e justo para perdoar os nossos pecados e nos purificar de toda injustiça" (1João 1.9).

Lembre-se que *confessar* é bem mais que o simples ato de reconhecer a presença de algo em sua vida. Quando você *confessa*, diz a mesma coisa a respeito de seu pecado que Deus. Quando Deus diz que o pecado está oculto, é preciso que você concorde com o Senhor, traga o pecado à luz e o abandone.

Apenas para ilustração: alguns cristãos estão acostumados a praguejar e consideram isso um hábito; ou desculpam-se por seu temperamento ruim ou momento de explosão emocional. Mas não é o que Deus pensa: "Não tomarás em vão o nome do SENHOR, o teu Deus, pois o SENHOR não deixará impune quem tomar o seu nome em vão" (Êxodo 20.7).

Quando você jejua por um longo período, começa a ver as coisas como Deus vê. Ao reconhecer quão terríveis são seus pecados, você não precisa fazer "esforço" para arrepender-se ou para abandonar um pecado que está difícil de largar. Jejuar na presença de Deus dará força a você, e poderá declarar: "Tudo posso naquele que me fortalece" (Filipenses 4.13).

## Meu período de oração

*Senhor, busco tua presença em minha vida. O Senhor disse: "Vocês me procurarão e me acharão quando me procurarem de todo o coração" (Jeremias 29.13).*

*Senhor, entrego toda a minha vida a ti, minha mente, minha atitude e as coisas que gosto de fazer.*

*Renuncio ao controle dessas coisas.*

*Senhor, preenche-me com teu Santo Espírito para que eu estude tua Palavra, ore e sirva a ti.*

*Senhor, remove minha cegueira e mostra-me qualquer pecado que bloqueie tuas bênçãos em minha vida.*

*Senhor, confesso meu pecado (um a um pelo nome) e peço que tu me perdoes e purifiques. Amém.*

**Minhas respostas de oração**

________________________________________

________________________________________

________________________________________

________________________________________

________________________________________

________________________________________

Para sugestões de receitas, veja as páginas 217-231.

## 14º DIA

# Não quebre seu jejum

*Um valor óbvio do jejum está no fato de que tal disciplina mantém o corpo em seu lugar certo. Trata-se de uma prática que reconhece a supremacia do espiritual. Mas jejuar tem alguns benefícios em relação à oração também. Muitos dos que o praticam com motivações corretas acabam tornando-se mais saudáveis e vigorosos. Há um poder espiritual crescente e visível de concentração nas coisas do espírito.*

J. Oswald Sanders

O que ocorre quando você fraqueja e come — quando você come algo que já havia prometido que não comeria? Essa é uma questão difícil. Difícil porque você violou sua promessa a Deus. Difícil porque você prometeu orar e jejuar.

Vamos começar avaliando uma violação não intencional. Comer é uma escolha? Nem sempre.

Caminhei até a recepcionista da Escola de Religião onde se situa também meu escritório. Era época de Halloween e a recepcionista tinha uma "amigável" tigela de pipoca doce sobre a mesa. Era seu jeito de dizer olá àqueles que chegavam.

Iniciei uma conversa com ela sobre um projeto e, sem me dar conta, peguei um punhado de pipocas, coloquei na boca e comecei a mastigar. Antes de engolir, senti o impacto da ação.

## Definições

*Violar um jejum é quebrar os limites ou a extensão da dieta que você se comprometeu a fazer para Deus.*

*É muito bom quebrar o jejum no tempo determinado e com o compromisso cumprido e, então, voltar à alimentação normal.*

"Oh!" Bati na testa, percebendo a tolice que havia acabado de cometer. "Oh!" Continuei a me lamentar como se tivesse cortado o dedo com uma faca ou prendido o dedo na porta do carro. Pensei tudo isso enquanto continuava com alguma pipoca na mão. "Oh!" Eu me angustiei ao perceber que acabara de perder três dias de um jejum de dez dias. Eu não poderia simplesmente dizer "Opa!" e continuar com o jejum.

O que fazer, então, se você quebrar o jejum de maneira não intencional? É muito fácil responder. Faça o mesmo que eu fiz. Primeiro, ore imediatamente e peça a Deus que perdoe seu "deslize" involuntário. A princípio você é inocente, pois não sabe o que está fazendo. Mas tente explicar isso para um policial que o parou a 150 km por hora em uma rodovia cujo limite de velocidade é de 100 km por hora.

No Antigo Testamento havia várias penalidades para os pecados conscientes (intencionais) e bem menos penalidades para os pecados involuntários (v. Números 15.29-31). Então, o que você faria se violasse involuntariamente seu jejum, como eu fiz? Primeiro, retomei minhas refeições regularmente pelo fato de haver quebrado o jejum. Segundo, pedi a Deus que me perdoasse de um pecado inconsciente. "Se confessarmos os nossos pecados, ele é fiel e justo para perdoar" (1João 1.9). Terceiro, pedi a Deus que me ajudasse a não cometer o erro novamente: "Quem pode discernir os próprios erros? Absolve-me dos que desconheço!" (Salmos 19.12).

Uma vez que meu objetivo não foi atingido, esperei alguns dias e reiniciei o jejum de dez dias pela segunda vez.

Quero dizer que Deus respondeu a minha oração e nunca mais quebrei um jejum novamente por descuido. Posteriormente, perto do Dia dos Namorados, quando me aproximei da mesa da mesma recepcionista com algumas tarefas, havia sobre o tampo algumas gotas de chocolate embrulhadas em papel laminado. Na primeira ocasião, coloquei as pipocas na boca sem fazer esforço; dessa vez, tive de desembrulhar o papel e o tempo todo não percebi o que estava fazendo até ter engolido o chocolate inteiro.

"O que faço agora? Devo cuspir o que comi?", questionei silenciosamente. Antes de dar por mim, já havia cuspido o chocolate. Interrompi o jejum e só o reiniciei uma semana depois, seguindo o procedimento anterior.

O jejum segundo Daniel é parcial; então, você ainda pode comer algumas coisas. Deve ser mais fácil disciplinar seus hábitos alimentares apenas em alguns itens. Mas suponha que você viole seu jejum ao se render à tentação. A Bíblia chama isso de pecado da presunção e nos instrui a orar a respeito. "Também guarda o teu servo dos pecados intencionais; que eles não me dominem!" (Salmos 19.13).

Há várias camadas acerca desse problema. Primeiro, seu desejo. Você minará sua força de vontade ao se entregar a algo de que por voto deveria abster-se. Isso estraçalha sua autopercepção e enfraquece sua autoestima. Violando seu voto, você pode construir uma autoimagem negativa. Isto leva a pessoa a não gostar de si mesma e, talvez, até a violar sua consciência para punir-se.

Assim, como recompor sua autoestima e reiniciar sua autodisciplina? Você não pode fazer isso sozinho. O próprio Paulo confessou: "Pois o que faço não é o bem que desejo, mas o mal que não quero fazer, esse eu continuo fazendo" (Romanos 7.19). Paulo estava realmente frustrado: "Não entendo o que faço" (Romanos 7.15).

A resposta para os votos quebrados de Paulo e o não cumprimento das ordens estava no Senhor. "Graças a Deus por Jesus Cristo, nosso Senhor!" (Romanos 7.25). Você precisa do poder de Cristo para o ajudar.

Se você chegou a violar seu voto, lembre-se de que isso não foi algo apenas contra si mesmo e seus princípios; é um pecado cometido contra Deus. "Quando você fizer um voto, cumpra-o sem demora, pois os tolos desagradam a Deus; cumpra o seu voto. [...] Não permita que a sua boca o faça pecar" (Eclesiastes 5.4-6).

Não tente enganar Deus dizendo que você não sabia quanto o jejum seria difícil, ou que você não estava falando sério quando firmou o voto. "[...] não diga ao mensageiro de Deus: 'O meu voto foi um engano'. Por que irritar a Deus com o que você diz e deixá-lo destruir o que você realizou?" (Eclesiastes 5.6).

Apenas em um momento privado com Deus é que você entenderá quão sério é quebrar seu voto a ele. Após quebrar o voto e orar diante de Deus, você se sentirá chocado com suas próprias palavras. Quando orar em voz alta, parecerá que suas orações baterão no teto e voltarão para você. Seu coração o condenará, e você perceberá que não pode orar pelo bem espiritual pelo qual se propôs jejuar.

No entanto, você desapontará outras pessoas também. Caso se tenha "prontificado" a orar com um grupo, será que Deus responderá a ele, tendo você quebrado o círculo de oração? Só você pode dar essa resposta diante de Deus.

A profundidade de sua convicção determinará a profundidade de sua confissão. Você precisa suplicar se quiser ser restaurado na presença de Deus. "Por que, SENHOR, me rejeitas e escondes de mim o teu rosto? (Salmos 88.14). Você não perderá seu relacionamento com Deus por causa disso; perderá apenas sua sociedade com ele. Davi fez uma oração: "Direi a Deus, minha Rocha: Por que te esqueceste de mim? Por que devo sair vagueando e pranteando, oprimido pelo inimigo?" (Salmos 42.9).

Não fique tão deprimido, porém, pois "o sangue de Jesus, seu Filho, nos purifica de todo pecado" (1João 1.7) A palavra "todo" significa que Deus perdoa pecados pesados tais como matar e roubar, mas ele também perdoa coisas como promessas quebradas.

Observe que Deus lida com você em misericórdia, assim como lidou com Paulo, o qual confessou todos os seus pecados, e também reconheceu: "mas alcancei misericórdia" (1Timóteo 1.13).

Portanto, recomece seu jejum, não de onde você falhou, mas desde o princípio, não importa se faltam 3, 10 ou 21 dias. Inicie novamente com alegria porque você foi perdoado de um passado de violência. Recomece com a mesma fé que teve no princípio.

## Meu período de oração

*Senhor, comecei meu jejum com toda a integridade*
*e manterei esse compromisso até o final.*

*Senhor, se violei meu jejum de maneira displicente,*
*perdoa-me por meu erro involuntário.*

*Senhor, se violei meu jejum conscientemente, perdoa-me*
*e dá-me forças e ânimo. Recomeçarei, mantendo*
*o voto original que fiz a ti.*

*Senhor, tem misericórdia de mim e dá-me força*
*para orar e jejuar; ouve a intercessão de meu coração*
*pelo objetivo espiritual que estabeleci. Amém.*

## Minhas respostas de oração

________________________________________________________________________________________

Para sugestões de receitas, veja as páginas 217-231.

TERCEIRA SEMANA

# Visão geral do 15º ao 21º dia

### Aprenda sobre orações específicas

Na última semana de seu jejum, você aprenderá a receber a crucificação de Jesus em sua vida de oração (15º dia) e conhecerá a função de chorar quando jejua e ora (16º dia). Você jejuou por pelo menos duas semanas. Desta forma investiu tempo extra na presença de Deus. No 17º dia, você verá a força das orações introspectivas e, mais especialmente, aprenderá a sair do deserto da introspecção ou do desencorajamento e orará por seu objetivo de fé. Além disso, você precisa ser lembrado de que há um tempo para descansar em oração (18º dia).

Assim, você lerá sobre orações urgentes (19º dia) e orações de batalha espiritual (20º dia). Uma vez que Satanás é seu inimigo, seja vigilante em oração.

A leitura do último dia desafiará você a permanecer firme em cada momento e orar até o fim de seu jejum.

### Leituras diárias

- **15º dia:** A oração da crucificação
- **16º dia:** Chorando durante a oração
- **17º dia:** Oração introspectiva
- **18º dia:** Descansando em oração
- **19º dia:** Oração urgente
- **20º dia:** Oração de batalha espiritual
- **21º dia:** Permanecendo firme

## 15º DIA

# A oração da crucificação

*Como* baby boomer, *fui condicionado a apreciar o melhor que o mundo tem a oferecer. Jejuar bate de frente com o consumismo, um de meus maiores valores herdados. Deixar meu desejo de lado para incentivar meu crescimento espiritual significa negar-me e tomar minha cruz diariamente. Imagino que seria difícil para mim estar à altura do desafio do discipulado e de um estilo de vida consistentemente cristão sem praticar a disciplina do jejum.*

Douglas Porter

Durante o jejum segundo Daniel, você será tentado de diferentes formas a desistir; muitas tentações serão sutis, de modo que você pode até não reconhecê-las como tentações. Não importa se as tentações são sutis ou descaradas, é preciso enfrentá-las e triunfar sobre elas.

Talvez você nunca tenha jejuado; então, seja cuidadoso. É provável que Satanás não o tente abertamente, mas em coisas menores, como abandonar o jejum antes de concluí-lo. Talvez você seja tentado a apenas "beliscar" algo que planejou abandonar por Cristo. Ou Satanás o pode provocar a finalizar seu jejum um ou dois dias antes do proposto.

Fui salvo em 25 de julho de 1950, e seis semanas depois entrei em um seminário. Satanás não podia tentar-me com pecados externos;

então, empurrava-me para os excessos, ou seja, para que eu me tornasse um fanático.

Fui bastante motivado por um sermão na capela sobre autocrucificação pregado com base na epístola de Romanos: "Pois sabemos que o nosso velho homem foi crucificado com ele, para que o corpo do pecado seja destruído, e não mais sejamos escravos do pecado" (Romanos 6.6). O pregador enfatizou a expressão "foi crucificado com ele", defendendo que era algo que nós, estudantes, também precisávamos fazer.

Posteriormente, o pregador nos desafiou: "Os que pertencem a Cristo Jesus crucificaram a carne, com as suas paixões e os seus desejos" (Gálatas 5.24). Ele perguntou: "O que você crucificou hoje?". *Nada,* pensei. Então, decidi descobrir algo que pudesse crucificar. Resolvi desistir do pingue-pongue — algo de que eu gostava demais — uma vez por semana. E rapidamente acrescentei: *Nada de jogar com a turma.* Foi difícil, mas consegui.

Todos os dormitórios masculinos eram aquecidos com uma caldeira central, e todos os aquecedores eram desligados às 9 horas da noite. O quarto geralmente começava a esfriar quando chegava meu horário de oração, por volta das 10h30. Naquela manhã, eu usava apenas roupas de baixo para dormir, de modo que comecei a tremer na hora em que me ajoelhei apoiado na cama. Estava tentado a voltar para debaixo do cobertor quentinho, mas racionalizei: *Não... Estou crucificando meu desejo de calor físico.*

Senti que aquela oração no frio era uma forma de crucificar minha carne, com suas afetações e luxúria. Disse a mim mesmo: *Se você ama Jesus, crucificará a carne e se manterá orando aqui no frio.* Após dez ou quinze minutos, eu estava tremendo tão forte que mal conseguia manter a concentração; só pensava em voltar para debaixo das cobertas. Também não conseguia orar em voz alta para ajudar a focar meu pensamento, pois meu queixo não parava de tremer.

Finalmente, racionalizei: *Deus está interessado em meu coração; ele não dá a menor importância ao sofrimento de meu corpo.* Pulei para debaixo das cobertas, mas não para pegar no sono. Encolhi as mãos e os joelhos e voltei à oração, tentando justificar que a oração era mais clara sob o aquecimento protetor das cobertas.

Contudo, um peso de culpa se abateu sobre mim. Racionalizei: *Se você amasse mesmo Jesus, suportaria o frio durante a oração.* Então, para "crucificar" qualquer necessidade de me sentir protegido pelo aquecimento, saí de sob as cobertas e me ajoelhei novamente no frio. Durante dois ou três minutos "senti" uma vitória sobre a tentação; foi como se eu estivesse "crucificando" o desejo corpóreo de aquecimento. Então, orei com mais intensidade enquanto a friagem aumentava.

Após cinco ou sete minutos, eu já estava "morrendo" de frio e meu queixo tremia novamente. Eu mal conseguia manter o pensamento na oração. Finalmente concluí: *Que estupidez*! Então, pulei para debaixo das cobertas e comecei a orar uma vez mais. Conforme eu me aquecia, a oração se tornava mais leve. Então, após mais cinco minutos, novamente me vieram a culpa e a racionalização: *Se você amasse Jesus, oraria no frio.* Eu pensava em quanto Jesus sofreu por mim em sua crucificação. Então, resolvi mais uma vez crucificar meu "eu".

Talvez você sorrisse ao me ver deitando sob as cobertas e levantando-me várias vezes naquele quarto. Para dizer a verdade, acho que Deus provavelmente também sorriu daquele jovem ingênuo, tomado de amor e culpa, tentando demonstrar algo ao deitar na cama e levantar dela.

O problema é que o pregador capelão aplicou de forma errada a ideia de crucificação. Jesus fez isso e declarou: "Está consumado!" (João 19.30). A crucificação de minha carne não pode adicionar nada à crucificação de Jesus. Minha crucificação não passaria de uma obra medíocre. A Bíblia nos ensina: "não por obras, para que ninguém se glorie" (Efésios 2.9).

Eu não entendia que essa "crucificação" era algo que havia recebido de Deus. Acho que o capelão pregador se equivocou em sua aplicação porque a antiga *King James* traduziu Romanos 6.6 da seguinte forma: "Nosso velho homem *está* crucificado" (grifo nosso), sugerindo um verbo de ação no tempo presente. Mas atente para o texto da *Nova Versão Internacional:* "nosso velho homem foi crucificado com ele". O verbo "crucificado" está em uma ação passada na língua original.

Nossa crucificação é uma ação passada; nossa velha natureza foi crucificada quando Cristo morreu. Não precisamos *fazer* isso, mas *receber* isso. Paulo explica isso na sequência: "Fui [tempo passado] crucificado com Cristo" (Gálatas 2.20). Cristo foi crucificado no passado, e Paulo se identificava com a cruz na vida que ele vivia após essa crucificação.

Ao morrer, Jesus morreu de todas as formas. Não restou nenhuma vida. Quando tentamos "crucificar-nos" (por exemplo, orando quando está muito frio), não morremos de todas as formas. A antiga natureza pecaminosa nos tentará enquanto houver vida neste corpo. Quando, porém, apropriadamente nos "crucificamos", recebemos o que Cristo fez e aplicamos sua morte a nosso pecado. Paulo disse: "Pois, por meio da Lei eu morri para a Lei, a fim de viver para Deus" (Gálatas 2.19). Isso significa que nos rendemos a Deus e recebemos sua vida para triunfar sobre a tentação e o pecado.

Esse tipo de vida é sobre nos rendermos completamente a Deus em vez de fazer algo para obter vitória. A questão não é sermos ou não vitoriosos, mas Cristo ser vitorioso por nosso intermédio. Alguns chamam isso de "vida crucificada", enquanto outros o chamam de "vida transformada" ou "vida vitoriosa". Alguns se referem a isso como "vida mudada"; isto é, "Eu estava em Cristo quando ele morreu, e agora me rendo para que ele entre em minha vida".

Paulo nos contou sobre como essa vida transformada acontece: "Quanto a mim, que eu jamais me glorie, a não ser na cruz de nosso Senhor Jesus Cristo, por meio da qual o mundo foi crucificado para mim, e eu para o mundo" (Gálatas 6.14). Quando somos "crucificados" para o mundo, carregamos tudo aquilo que a cruz simboliza: humilhação, degradação e um fim para o pecado. Assim, quando tomamos a cruz, nós nos rendemos a Deus e decidimos não pecar mais.

Isso não significa que perdemos nossa natureza pecaminosa. Não, nós ainda temos uma velha natureza que nos tentará ao pecado (v. 1João 1.8). No entanto, submetemos nosso ser a Deus para obter sua vitória sobre tudo isso. Isso também não significa que não pecaremos novamente. Nós pecaremos, pois João ensina que quem pensa que parou de pecar é mentiroso: "Se afirmarmos que não temos cometido pecado, fazemos de Deus um mentiroso, e a sua palavra não está em nós" (1João 1.10). Isso quer dizer que, quando nos "crucificamos" — ou tomamos nossa cruz —também tomamos a vitória de Cristo que triunfou sobre o pecado. Sua morte nos deu vida, para que recebêssemos a energia da vida de Cristo ao receber sua crucificação.

### Morte dos próprios esforços

Jesus propôs o seguinte desafio: "Se alguém quiser acompanhar-me, negue-se a si mesmo, tome diariamente a sua cruz e siga-me" (Lucas 9.23). Isso não significa carregar uma grande e pesada cruz assim como alguns têm feito. Nem significa que precisamos usar uma cruz como bijuteria ou erigir uma cruz na frente de casa.

Jesus estava descrevendo nossa morte para os esforços humanos e os desejos terrenos. Ele continua esse pensamento no versículo seguinte: "Pois quem quiser salvar a sua vida, a perderá; mas quem perder a sua vida por minha causa, este a salvará" (Lucas 9.24). Perder a vida é cumprir apenas a vontade de Cristo, não sua própria vontade egoísta. Perdemos nossa vida ao abandonar os desejos terrenos e perseguir o que Jesus nos oferece.

Observe ainda o versículo seguinte, o qual diz que não ganhamos nada ao satisfazer nossos desejos: "Pois que adianta ao homem ganhar o mundo inteiro, e perder-se ou destruir a si mesmo?" (Lucas 9.25). Tudo quanto o mundo oferece não se compara à vida interior que Jesus nos dá.

De acordo com Jesus, a questão é que nos preocupamos demais com o que o mundo oferece, ou com o que o mundo tem ou promete. No versículo subsequente, Jesus afirma: "Se alguém se envergonhar de mim e das minhas palavras, o Filho do homem se envergonhará dele, quando vier em sua glória e na glória do Pai e dos santos anjos" (Lucas 9.26).

Crucificar a si mesmo não quer dizer fazer algo "religioso" ou praticar "boas obras" para provar a si mesmo ou a Deus. Você deve render-se completamente a Deus, permitindo que Jesus aja por seu intermédio e que a vida dele se torne sua energia ou seu poder contra o pecado.

## Não é uma morte física, mas uma morte interior

Há um grupo de homens nas Filipinas que se permitem ser pregados em uma cruz toda Sexta-feira Santa. Eles justificam a prática pelo fato de Jesus ter morrido em uma sexta-feira. Turistas, jornalistas e diversos espectadores assistem à tentativa desses filipinos de identificar-se com Cristo ao serem pregados em uma cruz. Um comerciante que beirava seus 40 anos já havia passado por essa "penitência" vinte e uma vezes.[1]

A autocrucificação é um dos mais abusivos fenômenos do cristianismo. Aqueles que agem como os filipinos interpretam equivocadamente os escritos de Paulo: "Os que pertencem a Cristo Jesus

---

[1] V. <http://www.msnbc.msn.com/id/17978154/>. Acesso em: 4 jun. 2009.

crucificaram a carne, com as suas paixões e os seus desejos" (Gálatas 5.24). Como resultado dessas interpretações errôneas, monges entram em estado de fome prolongada, oram na neve, batem em si mesmos com chicotes (assim como Cristo também foi chicoteado), torturam-se, colocam coroa de espinhos na cabeça e praticam toda forma de tortura. Outros vivem isolados; e outros ainda vivem sem falar com ninguém durante sete anos ou mais. Outros se abstêm do casamento ou de qualquer outro dom que Deus nos tenha oferecido (v. Tiago 1.17).

Deus não tinha em mente nada disso quando ordenou que fôssemos crucificados com Cristo. Simplesmente recebemos o que Cristo fez por nós em sua crucificação. Recebemos sua morte pelo perdão dos pecados; recebemos sua morte pelo poder de viver além de nossos desejos egoístas. Sua morte nos dá poder para superar a tentação.

O problema é que gostamos de parecer gente boa quando sofremos críticas ou quando somos motivo de chacota e rejeição. Então, seguimos nossa vida tentando parecer bons, ou representamos um papel. Em geral, desempenhamos papéis para sermos aceitos nos diversos grupos com os quais nos relacionamos.

Quando nos crucificamos, rendemo-nos a Cristo, pois aquilo que ele pensa de nós importa muito mais do que qualquer outro pensamento a nosso respeito. Não mais vivemos para parecer bons aos olhos dos outros. Oh, sim, somos bons vizinhos, damos bom testemunho e não queremos fazer coisas estúpidas ou parecer estranhos. Mas interrompemos nossa representação hipócrita, a qual não passa de uma tentativa de fazer os outros pensarem que somos aquilo que não somos.

Assim, para crucificar a si mesmo, você precisa satisfazer Cristo primeiro, depois sua família e finalmente os outros. Vivemos desse modo para um novo propósito, aquele sugerido por João Batista: "É necessário que ele cresça e que eu diminua" (João 3-30).

Quando nos crucificamos, adotamos um novo sistema de valores. Desistimos de nossa compulsão interior de autopoder, autoproteção, autossucesso e tentativa de agradar aos outros. Entregamos tudo a Deus para que ele assuma o controle e usamos tudo quanto ele nos permite usar.

Não mais temos de "ganhar" por motivos egoístas. Aprendemos que perder tudo por Deus é mais satisfatório do que ganhar o mundo inteiro. Pois, quando perdemos tudo para Deus, ganhamos a coisa mais importante desta vida — estar no centro da vontade de Deus.

Ninguém gosta da ideia de morrer. Toda pessoa normal luta para continuar viva. Mas e se você fosse morrer hoje? A vida continuaria sem sua presença? Sim! Existia vida antes que você nascesse? Sim! Nossa vida não é algo fundamental para a continuidade da raça.

Entretanto, quando morremos para nós mesmos, vivemos para Deus. Quando morremos dessa forma, tornamo-nos importantes para Deus, e ele nos usa. Quando morremos para nós mesmos, tornamo-nos necessários para Deus.

Crucificar nosso ser é outra forma de lidar com nosso orgulho. Ao nos rendermos completamente a Deus, tornamo-nos mais humildes. Tiago diz: "Humilhem-se diante do Senhor, e ele os exaltará" (Tiago 4.10). Portanto, nossa humildade é importante para Deus, caso ele queira usar-nos.

Humildade é uma palavra bem interessante. O *Aurélio* define humildade como "virtude caracterizada pela consciência das próprias limitações; modéstia, simplicidade; sentimento de fraqueza, de inferioridade com relação a (alguém ou algo); reverência ou respeito para com superiores; acatamento, deferência, submissão".[2]

Essa palavra provém da palavra *húmus*, que significa "da terra". Húmus é o solo orgânico caracterizado pela decomposição parcial de

---

2 **Dicionário Aurélio Eletrônico1.0**, 2009.

plantas e animais. Analisando profundamente: o solo rico que produz uma vida nova provém da morte de outras matérias. Desse modo, quando você se "crucifica" — ou morre —, produz uma experiência que gera uma nova vida proveniente de Deus.

Nossa vida não representa uma semente que pode ser plantada por Deus para dar vida a outros? Lembre-se do que Jesus disse: "Digo-lhes verdadeiramente que, se o grão de trigo não cair na terra e não morrer, continuará ele só. Mas se morrer, dará muito fruto" (João 12.24). Então, quando crucificamos a nós mesmos, outros prosperam e vivem.

Nossa vida precisa, portanto, estar aberta à chuva, à riqueza do solo e à energia solar para produzir nova vida em nós e nos outros. Mas essa nova vida nasce com *húmus*, ou seja, com uma morte do próprio ser.

Tentar tornar-se humilde é como tentar pegar no sono. Quanto mais você tenta, mais difícil se torna. Quando nos rendemos ao sono, porém, assim como quando nos rendemos ao Senhor, aquilo que buscamos acontece. Você não pode orar por humildade deliberadamente, nem pode desenvolvê-la; pois ela é um dom de Deus.

## Jejuar e autocrucificação

Você está em um jejum que vai durar dez ou vinte e um dias. Não se engane: você não se tornará mais espiritual apenas porque jejua. Abster-se de comida não dará a você nenhum mérito diante de Deus. Quando jejua, você medita mais em Deus e ora com mais constância e intensidade. Jejuar é apenas um meio para uma finalidade; o resultado é que você adquire um relacionamento mais profundo com Deus.

É Deus quem dá o resultado que você busca.

Jejuar pode colocar outro prego na cruz do autossacrifício, mas não faz de você alguém mais santo ou melhor intercessor. E há outros atos de autocrucificação que são efetivos, como romper com um ritmo de vida que não o leva ao conhecimento de Cristo, ou negar-se a praticar algo pelo fato de comprometer sua fé, ou sacrificar o dinheiro que você está poupando para algum item supérfluo e doá-lo à causa de Cristo. Existem atos de autocrucificação quando há uma rendição correta — aquela que proporciona seu crescimento em Cristo.

Mais comumente, a autocrucificação provém de pequenos atos intencionais pelos quais consagramos parte de nossa vida a Deus. Ficar sem comida não lhe trará nenhum mérito; mas, quando você põe Cristo em primeiro plano para interceder por um projeto de oração em vez de comer, isso será muito honrado por ele.

As pequenas vitórias sobre o prazer e a autopromoção em geral não serão vistas pelos outros, mas nos conduzirão a um grande crescimento espiritual.

### Meu período de oração

*Senhor, reconheço que tenho um "ego" muito grande.*
*Por favor, ensina-me a pôr Cristo em primeiro lugar em tudo.*
*Ensina-me a ser humilde.*

*Senhor, não posso crucificar a mim mesmo por nada que tenho orado ou feito. Quero receber o benefício de Cristo por meio de sua morte e do perdão de meu pecado.*

*Senhor, não posso tornar-me mais espiritual por gastar mais tempo em oração. Recebo a vida de Jesus, que vem de seu triunfo sobre a morte. Eu me rendo a Cristo e serei firme contra a tentação, protegido por sua presença.*

*Senhor, deixarei as pequenas coisas que prejudicam minha vida espiritual e as grandes vaidades que destroem minha alma. Clamo por tua vitória sobre a tentação. Quero crescer de uma forma que me leva para mais perto de ti. Amém.*

## Minhas respostas de oração

Para sugestões de receitas, veja as páginas 217-231.

## ☙ 16º DIA ❧

# Chorando durante a oração

*"Agora, porém", declara o* SENHOR, *"voltem-se para mim de todo o coração, com jejum, lamento e pranto".*

JOEL 2.12

Alguma vez você orou tão intensamente que chegou a chorar? Talvez quando você foi salvo, ficou tão convencido do pecado que chegou a chorar diante de Deus. Hoje, vamos falar sobre o choro que acontece durante uma oração. Será que lágrimas ajudam suas orações a serem respondidas?

A Bíblia nos ensina que há "tempo de chorar e tempo de rir" (Eclesiastes 3.4). Portanto, quando devemos chorar em nossas orações? E será que há um tempo no qual devemos rir durante a oração?

Se nossos olhos estão sempre secos, isso significa provavelmente que nosso solo também está seco. Pois assim como o sol resseca o barro, algo pode ter endurecido nosso coração.

Por outro lado, quando derramamos lágrimas diante de Deus, isso provavelmente significa que Deus tocou o centro de nossos sentimentos. Provavelmente ele arrancou a camada que envolvia a ferida, mas precisava ser curada.

Muitas pessoas choram quando se encontram com Cristo verdadeiramente pela primeira vez. Uma mulher que se viu quebrantada em seus pecados se prostrou diante de Jesus enquanto ele ceava na casa de Simão, o fariseu, "e se colocou atrás de Jesus, a seus pés. Chorando, começou a molhar-lhe os pés com suas lágrimas. Depois os enxugou com seus cabelos, beijou-os e os ungiu com o perfume" (Lucas 7.38). Enquanto a mulher ungia os pés de Jesus, Simão a criticava, provavelmente por causa de suas lágrimas e por fazer uma cena em sua casa. Contudo, mais do que isso, Simão criticou Jesus: "Ao ver isso, o fariseu que o havia convidado disse a si mesmo: 'Se este homem fosse profeta, saberia quem nele está tocando e que tipo de mulher ela é: uma pecadora' ". Jesus sabia o que Simão estava pensando e lhe contou uma história sobre o débito cancelado. Então, Jesus defendeu a mulher, dizendo: "Portanto, eu lhe digo, os muitos pecados dela lhe foram perdoados; pois ela amou muito. Mas aquele a quem pouco foi perdoado, pouco ama". Então, Jesus disse à mulher: "Seus pecados estão perdoados" (Lucas 7.47,48). Não há nada errado em chorar de alguma forma pessoal diante da cruz. Mas nem todos derramam lágrimas quando são salvos.

Em 1957 pastoreei a igreja de West Dallas, onde viviam vários mexicanos naturalizados. Tínhamos orado durante um longo tempo pela mãe da família Rodriguez, para que ela fosse salva. Seus três meninos e o marido estavam quase convertidos. A sra. Rodriguez foi profundamente tocada por nossa reunião comunitária e levantou sua mão para ser salva ao final do culto. Conforme era conduzida a Cristo, ela ria de forma incontrolada; riu tanto que me chamaram para contornar a situação.

A sra. Rodriguez contou que tinha subido os degraus da Catedral Católica no México a fim de ser perdoada, mas nada acontecera. Ela havia chorado em muitos trabalhos litúrgicos, mas seus pecados não tinham sido perdoados. Quando ela aprendeu que não havia nada que pudesse fazer para obter a salvação, a não ser crer em Jesus, uma carga muito pesada foi retirada de suas costas. Tudo o que ela devia fazer era convidar Jesus a entrar em seu coração. Ouvindo sobre a graça, ela começou a rir com regozijo por causa da liberdade oferecida em Cristo.

Você foi salvo com lágrimas ou com risadas? Mesmo após a salvação, o choro pode tornar-se parte da oração. Algumas vezes choramos por causa do pecado em nossa vida. Algumas vezes as lágrimas são decorrência natural de nossas falhas ou frustrações, ou mesmo quando as circunstâncias estão contra nós. Choramos em virtude da morte de alguém próximo, mesmo que já fosse hora de sua morte. Quando Lázaro, irmão de Maria, morreu, "Jesus agitou-se no espírito e perturbou-se" (João 11.33). É natural chorar quando uma parte de sua vida é retirada. Jesus também chorou (João 11.35), não apenas por Lázaro, mas pela descrença de Maria, Marta, seus discípulos e dos judeus. Jesus chorou porque eles o rejeitaram; mas ninguém imaginou que ele poderia prevalecer contra a morte. Algumas vezes você não sente vontade de chorar quando é rejeitado?

Talvez você esteja orando pelo alvo do jejum e, caso suas orações não sejam respondidas, suponha que isso resultará em perda financeira, derrota espiritual, fracasso aos olhos daqueles que sabem que você está jejuando, ou ainda uma derrota espiritual acerca de seus votos a Deus. Quando sofremos derrotas, nosso coração se quebranta como uma represa cujas águas represadas começam a fluir.

Algumas vezes nossas lembranças nos fazem chorar. Os judeus que foram cativos na Babilônia lembravam os bons tempos na terra prometida e a presença de Deus no templo. Seus pecados levaram-nos à punição divina, e a Babilônia os levou em cativeiro. Eles, então, clamavam: "Junto aos rios da Babilônia nós nos sentamos e choramos com saudade de Sião" (Salmos 137.1). Seus algozes pediam-lhes que cantassem seus salmos. Eles, então, respondiam: "Como poderíamos cantar as canções do SENHOR numa terra estrangeira?" (Salmos 137.4). Existem ocasiões em que devemos pôr de lado o regozijo e chorar por causa daquele amor perdido.

Talvez você tenha adicionado a sua oração de jejum o pedido de salvação de pessoas especiais que ainda não foram salvas. Paulo se sentiu assim quando orou pelo povo judeu perdido: "tenho grande tristeza e constante angústia em meu coração. Pois eu até desejaria ser amaldiçoado e separado de Cristo por amor de meus irmãos, os de minha raça" (Romanos 9.2,3). As lágrimas do apóstolo não eram por algo que ele havia perdido, mas, sim, por aqueles que se haviam perdido. Algumas vezes você chorará por causa dos pecados em sua vida, e provavelmente, quanto maior for o pecado, mais intensas serão suas lágrimas.

O rei Davi cometeu adultério com Bate-Seba e, para encobrir seu pecado, matou o marido dela. Existem pecados maiores que adultério e assassinato? "Passado o luto, Davi mandou que a trouxessem para o palácio; ela se tornou sua mulher e teve um filho dele. Mas o que Davi fez desagradou ao Senhor" (2Samuel 11.27). Todo pecado é contra Deus, mas, quando percebemos que nossos pecados machucam Deus, é aí que choramos.

"E Davi implorou a Deus em favor da criança. Ele jejuou e, entrando em casa, passou a noite deitado no chão. Os oficiais do palácio tentaram fazê-lo levantar-se do chão, mas ele não quis, e recusou comer" (2Samuel 12.16,17).

Apesar de sua tristeza profunda, Davi escreveu o salmo 51, o qual reflete seu arrependimento com lágrimas diante de Deus.

> Pois eu mesmo
> reconheço as minhas transgressões,
> e o meu pecado sempre me persegue.
> Contra ti, só contra ti, pequei
> e fiz o que tu reprovas,
> de modo que justa é a tua sentença
> e tens razão em condenar-me [...]
> Esconde o rosto dos meus pecados
> e apaga todas as minhas iniquidades.
> (Salmos 51.3,4,9)

É muito mais fácil reconhecer seu pecado quando você lida com ele de forma bíblica. Se você endurece o coração e age como se não tivesse pecado algum, Deus acabará quebrantando-o e lidará com seu pecado de uma maneira bem dura. Caso você ainda não saiba muito sobre Deus, entenda que ele tratará seu pecado de modo bem mais rigoroso do que você lidaria. Portanto, lide com isso você mesmo e livre-se de uma dor desnecessária.

Além disso, tenha cuidado ao orar para que Deus quebrante seu coração. Ele pode fazer isso realmente e causar mais dor do que você sofreria, caso tivesse lidado com o pecado antes e de forma completa.

Quando Deus quebranta seu coração, pode ser tão doloroso quanto a perda daquele amor que você imaginou jamais perder. Talvez em sua história de vida tenha ocorrido um momento em que a dor foi tão intensa que você chegou a pensar que não conseguiria continuar a viver. Caso Deus tenha de quebrantar seu coração, você talvez precise suportar aquela dor novamente, mas certamente de modo ainda mais intenso.

Como você deve agir, sabendo disso? Primeiro, reconheça a desobediência em sua vida e dê a isso o mesmo nome que Deus usa — pecado. Não culpe sua natureza pecaminosa dizendo que ela o impulsiona ao pecado: "Se afirmarmos que estamos sem pecado, enganamos a nós mesmos, e a verdade não está em nós" (1João 1.8). Também não diga que você nunca pecou: "Se afirmarmos que não temos cometido pecado, fazemos de Deus um mentiroso, e a sua palavra não está em nós" (1João 1.10).

Segundo, confesse seu pecado a Deus, o que significa reconhecer seu pecado por aquilo que ele realmente é: "Se confessarmos os nossos pecados, ele é fiel e justo para perdoar os nossos pecados e nos purificar de toda injustiça" (1João 1.9). Você notou que Deus purifica *depois* que confessamos?

Terceiro, observe que Deus perdoa *todos* os nossos pecados: "Se, porém, andarmos na luz, como ele está na luz, temos comunhão uns com os outros, e o sangue de Jesus, seu Filho, nos purifica de *todo* pecado" (1João 1.7, grifo nosso).

Quarto, você precisa abandonar seus pecados e decidir não mais praticá-lo. Jejue e ore: "E não nos deixes cair em tentação, mas livra-nos do mal" (Mateus 6.13).

Finalmente, aprenda com sua experiência. Assim, você ficará mais fortalecido e poderá superar aquela tentação específica.

## Meu período de oração

*Senhor, mostra-me o pecado que interfere em minha vida de oração; vou confessá-lo e me arrepender.*

*Senhor, eu me arrependo e me afasto do pecado que bloqueia minha amizade contigo.*

*Senhor, teu perdão me sobreveio a mim. Eu me alegro na oração diante de tua presença. Amém.*

## Minhas respostas de oração

Para sugestões de receitas, veja as páginas 217-231.

❧ 17º DIA ❧

# Oração introspectiva

*Mesmo se quiséssemos, não conseguiríamos manipular Deus. Jejuamos e oramos para obter algum resultado, mas a resposta está nas mãos de Deus. Um dos maiores benefícios do jejum é que nos tornamos mais atentos às coisas de Deus — mais conscientes de nossas fraquezas e de seu poder, de nossa incapacidade e de sua autossuficiência — e atentamos para tudo quanto ele quer que sejamos e façamos. O jejum cristão, porém, é totalmente diferente de outros jejuns, como, por exemplo, o do hinduísmo. Ambos buscam resultados; entretanto, o jejum hinduísta concentra-se em si mesmo, tentando conquistar algo por meio de um sacrifício. O jejum cristão centra-se em Deus. Os resultados são espirituais e glorificam Deus — tanto na pessoa que jejua quando nos outros pelos quais jejuamos e oramos.*

ELMER L. TOWNS

Você já se sentiu alguma vez como se estivesse em um deserto sem saber qual direção tomar? O horizonte parecia distante, e nada era familiar. Você já se sentiu perdido sem saber que rumo tomar?

O salmista sentiu-se perdido: "Quando estou angustiado, busco o Senhor; de noite estendo as mãos sem cessar; a minha alma está inconsolável!" (Salmos 77.2). E, em outro momento, ele clama: "Quanto a mim, os meus pés quase tropeçaram; por pouco não escorreguei" (Salmos 73.2).

Então, ele suplica: "Não escondas de mim o teu rosto quando estou atribulado. Inclina para mim os teus ouvidos; quando eu clamar, responde-me depressa!" (Salmos 102.2). O salmista sentiu-se perdido e não conseguia encontrar Deus. Você já se sentiu perdido sem conseguir encontrar Deus? Já se sentiu como se o teto de sua casa fosse feito de ferro, e suas orações batessem e voltassem para você? Quando você clamava a Deus, era como se ele não estivesse ali?

Quando isso acontece, a maioria das pessoas entra em um estado de oração introspectiva. Jejuar pode ser a marca de um momento tenebroso em sua vida, e alguns podem ficar sem esperança e sem consolo. Tudo isso pode levar à depressão. As pessoas se sentem incapazes de jejuar e orar por um objetivo.

Algumas pessoas reclamam a Deus, ou reclamam de Deus. Em vez de tentarem buscar a Deus ou algum auxílio externo, elas se fecham, culpam-se, e como resultado, sentem-se ainda mais desesperadas e desamparadas.

A oração de Jó talvez seja o melhor exemplo de uma oração introspectiva na Bíblia. Jó não tinha feito nada errado; não havia em sua vida nenhum pecado visível pelo qual ele devesse ser julgado por Deus. Ainda assim, a maioria de nós sabe que ele sofreu violência, perda familiar, roubo e falência. Jó entrou em um estado inacreditável de sofrimento e dor, mas continuou crendo; e ninguém poderia acusá-lo de transgressão. Jó não era culpado.

O rebanho de Jó foi roubado por agressores; suas ovelhas e seus trabalhadores foram mortos; raios caíram e queimaram suas plantações; e um vendaval destruiu a casa onde estavam seus filhos, matando todos eles. Em outro ataque sobre suas propriedades, mais camelos foram roubados e mais servos foram mortos (v. Jó 1.13-19).

A derrota financeira que todos nós tememos alcançou Jó, que, então, "prostrou-se, rosto em terra, em adoração" (Jó 1.20). Em vez de reclamar, Jó exercitou sua fé em Deus: "Saí nu do ventre da minha mãe, e nu partirei. O SENHOR o deu, o SENHOR o levou; louvado seja o nome do SENHOR" (Jó 1.21).

Satanás, que havia manipulado a primeira onda de perseguição, decidiu atacar Jó pessoalmente. Jó foi acometido de "feridas terríveis", que o marcaram tão fortemente a ponto de ele se cobrir com cinzas, coçando-se com um caco de louça para aliviar o sofrimento.

Dias como esses, em que somos tomados por horrores físicos, todos nós tememos. Jó fala a respeito: "O que eu temia veio sobre mim; o que eu receava me aconteceu" (Jó 3.25). As orações introspectivas sempre estão enraizadas no medo. Quando não podemos mais lidar com nossos medos, acabamos em um estado sem esperança. Então, desistimos, assim como Jó, aparentemente, havia desistido. "Meus dias correm mais depressa que a lançadeira do tecelão, e chegam ao fim sem nenhuma esperança. Lembra-te, ó Deus, de que a minha vida não passa de um sopro; meus olhos jamais tornarão a ver a felicidade" (Jó 7.6,7).

A mulher de Jó também desistiu de tudo. Não foi um auxílio para o marido durante seu sofrimento. Disse a ele: "Você ainda mantém a sua integridade? Amaldiçoe a Deus, e morra!" (Jó 2.9).

Haverá tempos em sua vida em que você se sentirá abandonado por Deus. Talvez o objetivo de oração pelo qual está orando o deixe desencorajado. Talvez você duvide de que Deus possa responder a suas orações e esteja prestes a desistir.

Ao longo de toda a Bíblia, encontramos promessas de que Deus virá em nosso socorro quando nos entregarmos completamente a sua misericórdia e suplicarmos por sua presença: "Este pobre homem clamou, e o SENHOR o ouviu; e o libertou de todas as suas tribulações" (Salmos 34.6).

Mais tarde o salmista promete: "O Senhor está perto dos que têm o coração quebrantado e salva os de espírito abatido. O justo passa por muitas adversidades, mas o Senhor o livra de todas" (Salmos 34.18,19).

Algumas vezes não é o pecado que nos faz encalhar no deserto. Às vezes pegamos uma rota errada. Tomamos uma decisão equivocada e perdemos a vontade de Deus em nossa vida. Não cometemos um pecado, uma rebelião ou uma transgressão deliberada. Talvez tenhamos ignorado as instruções de Deus, ou não tenhamos buscado seu plano para nossa vida. Talvez por isso os céus permaneçam em silêncio.

O Senhor por vezes nos permite perambular pelo deserto, porque precisamos aprender a lição: "Pai, se queres, afasta de mim este cálice; contudo, não seja feita a minha vontade, mas a tua" (Lucas 22.42).

Talvez Deus não se apresente diante de nós para nos colocar de volta no caminho certo porque simplesmente não lhe estamos dando ouvidos. Muito provavelmente não iríamos obedecer, caso ele falasse algo conosco. Se não prestamos atenção aos sinais bíblicos nem à voz do Espírito Santo, conseguiremos atentar às suas palavras?

Por vezes nos perdemos no deserto porque não prestamos atenção. Talvez Deus estivesse tentando direcionar nossa vida, mas estávamos ocupados demais com nossos próprios negócios para satisfazer sua vontade. Então, Deus nos deixa seguir caminhos obscuros e, então, sentimos a consequência de uma vida sem a presença de Deus. Então, afligimo-nos e iniciamos nossa própria entrega.

Quando eu tinha 5 anos, minha mãe me levou ao centro da cidade em Savannah, na Geórgia, para fazer as compras de Natal. Ela possuía uma grande bolsa de tapeçaria e me pediu que a segurasse pelas alças. Por toda parte eu segurava firme na bolsa conforme minha mãe serpenteava no meio da multidão. Lembro-me que em uma das lojas soltei da bolsa para olhar o que eu queria ganhar no Natal.

Então, vi a bolsa adiante, corri e me agarrei novamente às alças dela. Quando cruzamos a Broughton Street, uma senhora afro-americana olhou para mim e perguntou: "Por que você está segurando minha bolsa?".

Larguei imediatamente o objeto, enquanto a mulher chamou um policial, que me tomou nos braços e me protegeu até minha mãe me reencontrar.

Eu não me perdi porque quis abandonar minha mãe. Simplesmente não prestei atenção ao que era necessário. É assim com você? Se você gasta tempo na presença de Deus jejuando, pode descobrir o caminho de volta ao ponto em que se perdeu.

Quando Deus fala conosco e não ouvimos, o que ele faz? Ele poderia chamar-nos — poderia até gritar para nós —, mas em geral faz algo diferente. Ele para de falar e silencia até que estejamos preparados para ouvi-lo. Ao aparentemente nos abandonar por um tempo, Deus recobra nossa atenção e nós desesperadamente saímos em sua procura.

Há algo grande que aprendemos ao nos perder no deserto — aprendemos sobre o autoconhecimento. Uma das melhores lições que podemos aprender na vida é o que podemos fazer com ela. Esse é um dom ainda maior do que aprender o que devemos fazer.

Lembre-se: há apenas algumas coisas que a maioria de nós pode fazer com maestria, mas centenas de milhares de coisas que não podemos fazer. Bem-aventurado todo aquele que conhece os limites de suas habilidades espirituais!

A fundação do autoconhecimento é a base sobre a qual você constrói todo o resto. Quando você tem um bom conhecimento de si mesmo, pode fazer adições, subtrair algumas coisas e mudar outras. Você constrói um campo de força espiritual quando constrói sobre um conhecimento adequado a respeito de si mesmo.

Entretanto, se você gasta o resto de sua vida de oração introspectiva, terá uma vida miserável, uma vida vazia. Você não apenas se sentirá derrotado, mas as tentações também o alcançarão com muita facilidade e o pecado o cegará em relação à perfeita vontade de Deus.

Como um cego caminha? Sem muita confiança. Essa pessoa perde muito do que gostaria de ver e pisa sobre solo que não pode enxergar. Uma pessoa cega acaba percebendo apenas as falhas e vive em um mundo de trevas. Quem gostaria de viver em trevas?

Quando você age como um cego, acaba punindo-se das decisões tomadas ou dos erros cometidos.

Quando olhamos para nosso íntimo, acabamos gritando como Paulo: "Pois o que faço não é o bem que desejo, mas o mal que não quero fazer, esse eu continuo fazendo. Ora, se faço o que não quero, já não sou eu quem o faz, mas o pecado que habita em mim" (Romanos 7.19,20). Nunca devemos deixar que a oração introspectiva seja nossa última oração.

Você vai ao médico quando se machuca. Contudo, a causa de sua dor pode não ser a raiz do problema. O médico faz um exame completo para descobrir o que você está sentindo, e então, para ficar bom, você precisa ouvir o médico e seguir suas instruções.

Ele pode prescrever alguns remédios, alguns exercícios ou outras formas de terapia. A questão é que precisamos seguir as prescrições do médico para ficarmos bem. Da mesma forma, precisamos seguir as prescrições de nosso Médico espiritual para ficarmos bem.

Quando você inicia uma jornada ao mais profundo de seu ser, precisa levar o Médico (Deus) junto para que diga o que de fato está errado e o que você precisa fazer para ficar bem. Tenha certeza de que, ao analisar seu íntimo, você olhe com os olhos de Deus. Por quê? Porque ele é a verdade e mostrará a você a verdade.

Sempre leia a Bíblia ao fazer uma oração introspectiva. E a seguir ore como Davi: "Abre os meus olhos para que eu veja as maravilhas da tua lei" (Salmos 119.18). Então, busque por respostas: "A explicação das tuas palavras ilumina e dá discernimento aos inexperientes" (Salmos 119.130).

Deus nos revelará o que precisamos aprender sobre nós mesmos e esconderá aquilo que não devemos ver. Deus não mostrará todas as suas fraquezas; nenhum de nós conhece todas elas. Note a frustração de Paulo quando ele realmente enxerga a si mesmo: "Não entendo o que faço. Pois não faço o que desejo, mas o que odeio. E, se faço o que não desejo, admito que a Lei é boa. Neste caso, não sou mais eu quem o faz, mas o pecado que habita em mim" (Romanos 7.15-17).

A oração introspectiva deve levar-nos ao local de perdão. Quando olhamos além de nossos pecados e falhas, em direção a Jesus Cristo, estamos buscando uma purificação.

> Se, porém, andarmos na luz, como ele está na luz, temos comunhão uns com os outros, e o sangue de Jesus, seu Filho, nos purifica de todo o pecado.
>
> Se afirmamos que estamos sem pecado, enganamos a nós mesmos, e a verdade não está em nós. Se confessarmos os nossos pecados, ele é fiel e justo para nos perdoar os nossos pecados e nos purificar de toda injustiça. Se afirmamos que não temos cometido pecado, fazemos de Deus um mentiroso, e a sua palavra não está em nós. (1João 1.7-10)

Então, o que podemos aprender com esses versículos? Ocorre que, quando anda na luz, você é purificado automaticamente de todos os pecados (v. 7). Deus ama perdoar você porque sabe que você não pode viver uma vida perfeita; você tem uma natureza pecaminosa (v. 8). Ele sabe que você continuará a pecar (tanto inconsciente quanto voluntariamente, v. 10). Ele oferece o perdão se você confessar seus pecados (v. 9).

O perdão é um novo início, pois Deus permite que você recomece. Você não pode ignorar o pecado que descobre em sua *oração introspectiva*. Enfrente a questão honestamente — no deserto — e você se surpreenderá em quão rapidamente sairá do deserto e voltará a seu local de oração.

Entretanto, você precisa afastar-se de suas frustrações e falhas. Precisa aprender sobre si mesmo e buscar os desejos de Deus. Tudo quanto você aprende sobre si, em meio ao deserto, será uma fundação sobre a qual poderá construir algo para o futuro.

## Meu período de oração

*Senhor, algumas vezes parece bom fazer uma oração introspectiva, mas tão frustrante quando continuo ali.*

*Senhor, sei que não tenho nada de bom em mim mesmo; eu te busco nas Escrituras a fim de descobrir tua perfeita vontade para minha vida.*

*Senhor, confesso meu pecado de autocomiseração e peço tua purificação e teu perdão, pelo sangue de Cristo.*

*Senhor, andarei no caminho reto e estreito para cumprir tua vontade em minha vida. Amém.*

## Minhas respostas de oração

______________________________

______________________________

______________________________

______________________________

______________________________

______________________________

Para sugestões de receitas, veja as páginas 217-231.

## 18º DIA

# Descansando em oração

*Então Ester mandou esta resposta a Mardoqueu:*
*"Vá reunir todos os judeus que estão em Susã, e jejuem*
*em meu favor. Não comam nem bebam durante três dias*
*e três noites. Eu e minhas criadas jejuaremos como vocês.*
*Depois disso irei ao rei, ainda que seja contra a lei.*
*Se eu tiver que morrer, morrerei".*

ESTER 4.15,16

Há muitas formas diferentes de oração. Existem orações desesperadas, orações de batalha espiritual, orações de firmeza e orações de "nunca desistirei", mas também há tempos de *descansar em oração*. Davi não disse: "Descanse somente em Deus, ó minha alma; dele vem a minha esperança" (Salmos 62.5)?

Caso você esteja fazendo um jejum alimentar, está deixando seu corpo descansar. Isso significa que seu estômago está sendo revigorado e seu coração não está trabalhando tão duro para digerir o alimento. Não se esqueça de sua alma. Ela também necessita de descanso. "Venham a mim, todos os que estão cansados e sobrecarregados, e eu lhes darei descanso. Tomem sobre vocês o meu jugo e aprendam de mim, pois sou manso e humilde de coração, e vocês encontrarão descanso para as suas almas" (Mateus 11.28,29). Após a salvação, você continuou a se fortalecer espiritualmente procurando alguns momentos de descanso.

## Por que o silêncio?

Adoramos barulho. Pense em todo o barulho constante em sua vida. Quando eu era jovem, havia apenas três canais de tevê; agora há mais de cem disponíveis. Todas as vezes que eu caminhava em um aeroporto, procurava por orelhões; agora tenho um celular no bolso para falar a qualquer tempo e em quase todos os lugares que quiser. Alguns mantêm o Bluetooth® nos ouvidos para uma conversa mais longa. Pensei que tínhamos chegado ao ápice quando adquiri um MP3 para ter música o tempo todo. Mas agora os jovens têm o Twitter e carregam seus iPhones e iPods por toda parte. Há muito barulho ininterruptamente.

O que Paulo quis dizer quando pronunciou: "Esforcem-se para ter uma vida tranquila" (1Tessalonicenses 4.11)? O que Deus quis dizer com "na quietude e na confiança está o seu vigor" (Isaías 30.15)? Há poder no silêncio diante de Deus. Não é a falta de palavras que nos dá força; é a presença de Deus. Davi escreveu: "A minha alma descansa somente em Deus, dele vem a minha salvação" (Salmos 62.1). Isso provavelmente não corresponde à salvação original do pecado, mas a nossa salvação diária da dominação do pecado.

Não aprendemos tanto quando falamos como quando ouvimos. Assim, precisamos ajoelhar-nos silenciosamente na presença de Deus a fim de aprender as melhores lições da vida.

Além disso, ficamos mais fortes na quietude da presença de Deus. Assim como nossos músculos se cansam e necessitam de repouso para recompor as forças, nossa alma precisa de descanso para recuperar a determinação e a coragem para realizar a obra de Deus.

Seu estômago está descansando neste momento nesse jejum; e quanto ao resto de seu corpo? E quanto a sua alma?

Você pode comunicar-se com Deus em silêncio. A maioria das pessoas acha que o silêncio é perda de tempo porque nada acontece. Mas existe comunicação apenas quando falamos? Não! Pense em duas pessoas apaixonadas; elas podem apenas olhar uma nos olhos da outra, sem emitir um único som. No entanto, estão comunicando-se, mesmo que não pronunciem nenhuma palavra. Estar lado a lado já comunica amor.

Contudo, esse tipo de amor deve crescer em entendimento, aceitação e relacionamento. Novamente temos aquela palavra — oração é *relacionamento.* Você tem um relacionamento com Deus que permite que se sente silenciosamente em sua presença sem precisar falar nada? Você já recebeu a força que provém da oração silenciosa?

## Descanse em Deus

Deus considera o repouso tão importante que decretou um dia de descanso a cada sete dias. Note o que diz o quarto mandamento: "Lembra-te do dia de sábado, para santificá-lo. Trabalharás seis dias e neles farás todos os teus trabalhos, mas o sétimo dia é o sábado dedicado ao SENHOR, o teu Deus. Nesse dia não farás trabalho algum, nem tu, nem teus filhos ou filhas, nem teus servos ou servas, nem teus animais, nem os estrangeiros que morarem em tuas cidades" (Êxodo 20.8-10).

Por que Deus criou o sábado? Porque ele descansou no primeiro sábado. "Assim foram concluídos os céus e a terra, e tudo o que neles há. No sétimo dia Deus já havia concluído a obra que realizara, e nesse dia descansou" (Gênesis 2.1,2).

Deus precisou descansar de seu trabalho por estar cansado? Não. Deus é onipotente, ou seja, todo-poderoso. Ele criou todas as coisas sem esforço algum. Deus não estava cansado, mas descansou. O verbo "descansar" significa finalizar ou terminar. Deus finalizou o que ele tinha concebido como empreendimento; então, teve um dia de descanso. E o convida a fazer o mesmo.

Pelo fato de ter finalizado e depois descansado, Deus nos convida a encerrar cada semana em sua presença, em seu dia, em sua assembleia. Você deve descansar — ou finalizar — a obra de cada semana na presença de Deus. Não mantemos leis do domingo para agradar a Deus como fazia o povo judeu no Antigo Testamento. Finalizamos nossa semana de trabalho para prestar culto no dia do Senhor.

Se você considera o sábado mero formalismo legal, perde a oportunidade de descansar no Senhor. A maioria das pessoas que sai de férias não interrompe suas atividades. Joga golfe, nada, faz caminhada ou outras atividades que podem ser tão extenuantes quanto as da rotina de trabalho. Mas a recreação é renovadora e, da mesma forma, você precisa de renovação espiritual quando descansa em Deus.

Precisamos sentar silenciosamente na presença de Deus, a fim de senti-la. Você pode praticar a presença de Deus enquanto está numa fila de espera ou no trânsito engarrafado. O que você faz enquanto seu computador carrega? Você já chegou a roubar alguns segundos para ir à presença de Deus?

A oração sem palavras é tanto uma arte quanto uma habilidade, e há uma diferença aqui. Lembre-se de que "arte" é a expressão de sua natureza interior que brota naturalmente do coração. A habilidade vem pelo treino, pela prática e pela repetição. A arte natural é inata; a habilidade, você adquire.

Então, *descansar em* oração provém naturalmente quando você para de falar. Entretanto, há uma habilidade na disciplina do silêncio para que algo aconteça entre você e Deus. Você cresce, aproxima-se mais de Deus e tem suas orações respondidas.

Os judeus observavam o sábado (a palavra hebraica *shabbath* para "descanso") como símbolo de sua aliança com Deus. Eles viviam em um contexto agrário, e o trabalho na agricultura nunca cessa; então, Deus os instruiu a reservar um dia para que pudessem descansar. No entanto, mais do que descanso físico, aquele era um dia de celebração, aprendizado e exercício espiritual.

Observe a palavra "recreação". Significa "re-criar" nossa determinação emocional, nossa força ou nosso foco mental. Cessamos um tipo de atividade — o trabalho — a fim de iniciar outro tipo — a adoração — para recriar a nós mesmos. Você necessita de recreação espiritual? Você a obtém quando entra na presença de Deus.

A vida é música. Durante a semana cantamos a música estrondosa de nosso trabalho e das pressões do dia a dia. Assim como uma música começa e acaba, avança e retrocede e toca nossas emoções, o mesmo acontece com nossa semana de trabalho, a qual se enche de pressão, prazos, problemas e desafios.

Então, no domingo, entramos na igreja, cantando músicas para Deus. Entoamos louvores a ele. "Tu, Senhor e Deus nosso, és digno de receber a glória, a honra e o poder, porque criaste todas as coisas, e por tua vontade elas existem e foram criadas" (Apocalipse 4.11). Cantamos com regozijo nosso testemunho de salvação e sua graça sobre nós.

Não somente cantamos com os outros, mas também cantamos com Deus. Você já notou isso? A Bíblia nos ensina que Deus canta conosco: "Pois o SENHOR, seu Deus, está com vocês; ele é poderoso e os salvará. Deus ficará contente com vocês e por causa do seu amor lhes dará nova vida. Ele cantará e se alegrará" (Sofonias 3.17, *Nova Tradução na Linguagem de Hoje*). Se é tão prazeroso cantar e alegrar-se com Deus, e ele também se alegra com você, por que não aprender tais cânticos e entoar junto com Deus?

Quando jejuar, aprenda a descansar e cantar com Deus. Isso rejuvenescerá seu espírito e renovará sua determinação.

Neste capítulo discutimos sobre o silêncio diante de Deus. Mas há tempo para as palavras. Converse com Deus em intimidade, mas não sobre seus objetivos; converse com ele livremente. Fale com Deus o que alegra você no jejum. Medite nas maravilhas da criação. Então, volte seus pensamentos para a grandeza da salvação. Finalmente, encerre agradecendo a Deus pelas coisas que ele fez em sua vida.

Após ter falado com Deus por certo tempo, pare de falar e ouça sua voz. Você provavelmente não ouvirá um som audível, mas receberá uma mensagem em seu coração. Deus dirá a você o que fazer. Ele talvez até o ensine como orar ou pelo que orar. Use as seguintes questões para meditar em Deus:

- Conforme você lê as Escrituras, o que Deus está dizendo a você?
- Conforme você medita nas Escrituras, o que Deus quer que você faça?
- Conforme você espera na presença de Deus, como ele quer que você ore?
- Por qual motivo você deve orar?
- O que Deus tem dito a você por meio de seus sucessos?
- O que Deus tem dito a você por meio de suas falhas?

Enquanto espera, peça a Deus que se revele a você. Lembre-se da ilustração usada anteriormente: *Se você louva o Pai, ele virá para receber seu louvor.* Adore porque "o Pai quer que o adorem" (João 4.23, *Nova Tradução na Linguagem de Hoje*).

*Aceite o que você aprende, faça o que você sabe.* Geralmente buscamos a Palavra de Deus e analisamos o que é dito, interpretando o que ela diz. Mas o conhecimento nunca é algo acabado. O conhecimento nunca é errado, mas, se você não puser a Palavra de Deus em ação, nunca terá as bênçãos de Deus em sua vida. A Palavra de Deus escrita torna-se a Palavra de Deus viva em seu coração.

## Meu período de oração

*Senhor, perdoa-me quando falo demais em tua presença.*
*Ouvirei mais e me manterei em silêncio; quero aprender.*

*Senhor, perdoa-me por fazer de minhas petições algo mais importante do que descansar em tua presença e me deleitar na intimidade contigo.*

*Senhor, separarei tempo para entrar em comunhão contigo e estar em tua presença por determinado tempo todos os dias.*

*Senhor, dá-me forças espirituais para orar por meu objetivo de oração e ajuda-me em meu jejum. Amém.*

## Minhas respostas de oração

________________________________________

________________________________________

________________________________________

________________________________________

________________________________________

________________________________________

Para sugestões de receitas, veja as páginas 217-231.

## 19º DIA

# Oração urgente

*Orar é mover-se para além do invisível; jejuar é deixar de lado tudo o que é visível e temporal. O jejum ajuda a expressar, aprofundar e confirmar a resolução de que estamos prontos a qualquer sacrifício, até negar a nós mesmos, para atingir o que buscamos para o Reino de Deus.*

ANDREW MURRAY

Quando você ora insistentemente, é provável que esteja orando de todo o coração, e insiste em oração porque realmente necessita de uma resposta. Quando um amigo enfrenta uma cirurgia de câncer, você ora porque não há nada mais que possa fazer.

As orações urgentes surgem de uma necessidade crescente. A urgência do coração produz urgência na oração. Quando você sabe que uma conta vencerá no final do mês, e não há dinheiro para pagá-la, tem urgência em fazer algo. À medida que o final do mês se aproxima, o pânico aumenta. Então, você se pergunta: *O que farei?* Você ora com urgência e persistência.

O salmo 42 retrata uma jovem corça sendo perseguida por caçadores. A corça está apavorada e corre para salvar sua vida. O medo nos motiva a clamar por ajuda e o fazemos do fundo de nosso coração. O medo despe nosso orgulho e nossas desculpas. A resposta do salmo 42 é o primeiro passo para sua oração urgente. "Como a corça anseia por águas correntes, a minha alma anseia por ti, ó Deus" (Salmos 42.1).

E quando bate o desespero? Você ora desesperadamente quando há uma crise urgente. Pedro caminhava sobre a água em direção a Jesus. Os olhos dele estavam fixos em Jesus. Não é dessa forma que devemos agir em nossa vida cristã? "Mas, quando reparou no vento, ficou com medo e, começando a afundar, gritou: 'Senhor, salva-me!' " (Mateus 14.30). Pedro orou desesperadamente: "Senhor, salva-me!".

O que é uma oração desesperada? É quando você não pode preparar seu coração pedindo por perdão por qualquer pecado inconsciente em sua vida. Nem há tempo para entrar reverentemente na presença de Deus. Você clama imediatamente, como Davi: "Socorro, SENHOR, meu Deus! Salva-me" (Salmos 109.26).

O que dizer sobre a oração desesperada? É quando você entra em pânico ou está num buraco sem saída. Não há saída para seu problema se Deus não intervier.

Você tentou de tudo, mas as portas se fecharam. Você trabalhou duro para superar uma dificuldade, mas a maré está subindo, e não resta muito tempo. Nada funciona, e você agora está desesperado.

Por outro lado, uma situação desesperada pode chegar sem que você a esperasse. Você está dirigindo tranquilamente quando um caminhão aparece não se sabe de onde e colide diretamente com seu carro. Você está ferido e seu carona está deitado no chão sangrando. É uma emergência... uma crise... você precisa de ajuda imediata. Então, você clama a Deus: *"Agora, Senhor!"*.

A urgência descreve seu estado atual? Você encarou um projeto de oração e tem orado acerca de uma necessidade, mas nada aconteceu até agora. Você chegou ao fim do jejum e está desesperado; você iniciou o jejum para despertar a compaixão e a resposta de Deus a suas orações. Continue esta leitura, pois você aprenderá a orar desesperadamente.

## Preparando-se para orar urgente ou desesperadamente

*Em primeiro lugar, mantenha-se mentalmente preparado para emergências.* Você deve ter pedido a Deus que o preparasse para emergências futuras, mas agora a coisa é real. Mesmo no meio de uma emergência, peça que Deus o prepare para experiências e testes futuros.

Tecnicamente, você não pode preparar-se para uma emergência, mas pode pedir que Deus o capacite a lidar com uma emergência quando ela surgir. Peça que Deus dê a você paz durante a emergência e sabedoria para agir corretamente em tempos de crise.

Parte de sua preparação é saber que essa dificuldade virá. Meu pastor sempre diz: "Existem mais dias difíceis que bons na vida dos santos de Deus; assim como existem mais vales que montanhas".

*Em segundo lugar, memorize versículos que levem você a Deus em tempos de preocupações.* Quando uma emergência surgir, você não terá tempo de procurar referências bíblicas de encorajamento. Se elas estiverem guardadas em seu coração, porém, Deus pode trazê-las a sua mente.

- Salmos 27.5: "Pois no dia da adversidade ele me guardará protegido em sua habitação; no seu tabernáculo me esconderá e me porá em segurança sobre um rochedo".
- Salmos 34.6: "Este pobre homem clamou, e o SENHOR o ouviu; e o libertou de todas as suas tribulações".
- Salmos 46.1: "Deus é o nosso refúgio e a nossa fortaleza, auxílio sempre presente na adversidade".
- Salmos 56.3: "Mas eu, quando estiver com medo, confiarei em ti".
- Salmos 121.1,2: "Levanto os meus olhos para os montes e pergunto: De onde me vem o socorro? O meu socorro vem do SENHOR, que fez os céus e a terra".

- 2Crônicas 14.11: "SENHOR, não há ninguém como tu para ajudar os fracos contra os poderosos. Ajuda-nos, ó SENHOR, ó nosso Deus, pois em ti pomos a nossa confiança, e em teu nome viemos contra este imenso exército. Ó SENHOR, tu és o nosso Deus; não deixes o homem prevalecer contra ti".

*Em terceiro lugar, saiba quando mover-se das orações urgentes para as orações desesperadas.* Você ora urgentemente por um objetivo porque se trata de uma necessidade espiritual. Então, o prazo se aproxima (no final de um jejum, sem nenhuma resposta à vista). Suas orações mudam de urgência para desespero. Você clama: *"Senhor, por favor, faze agora!"*.

Quando você está com fome, senta-se diante de uma mesa e come de forma civilizada. Você usa garfo e faca e mastiga com sua boca fechada. Mas observe uma pessoa morrendo de fome. É aceitável engolir desesperadamente. Um apetite desesperado ignora as boas maneiras.

Então, lembre-se: há um período próprio para clamar a Deus desesperadamente com lágrimas e paixão profunda.

*Em quarto lugar, mergulhe em suas orações.* Não pense que você vai apenas orar. Não consulte suas listas de oração, nem pense em como fará seu pedido; apenas ore. Não se prepare para orar — apenas ore.

Se você estivesse cortando ervas daninhas no quintal e uma cobra picasse sua perna, não perguntaria como a cobra chegou lá, nem questionaria o que as pessoas achariam disso. Você gritaria "SOCORRO!" e correria atrás de ajuda.

Se você está em uma situação desesperadora, abra seu coração e grite: "Socorro, Senhor!".

*Em quinto lugar, cumpra sua agenda de oração.* À medida que você se deparar com as emergências, clamará imediatamente e de todo o coração. Quando um problema surge, ponha-o imediatamente aos pés de Deus. Mas não deixe que uma emergência roube de você o alicerce da oração continuada. Conforme você prossegue no jejum, não se esqueça de todos os outros problemas em sua vida e na vida de seus amigos e parentes. Continue pondo todos eles aos pés de seu Pai celestial.

Se você tem perdido uma ou duas refeições por dia para orar, mantenha-se nessa programação. Lembre-se: é em tais períodos programados de oração que você encontra força. Você precisa continuar forte em períodos de crise, para permanecer fiel em seus períodos de compromisso em oração.

Um homem faminto aceita qualquer alimento. Da mesma forma, uma pessoa desesperada clama desesperadamente. Mas em algum momento o faminto retorna à vida normal. Então, deve ingerir uma dieta balanceada para manter-se forte. Deve disciplinar seus horários de comer e adotar uma dieta balanceada. Da mesma forma, uma vida de oração balanceada manterá você forte em Cristo. Oração balanceada e constante é a melhor fundação para ter respondidas suas orações desesperadas.

*Em sexto lugar, traga Deus para dentro da crise.* O rei Asa partiu para a batalha com 580 mil de sua tropa contra os etíopes, que tinham 1 milhão de homens e 300 carros de guerra. A expectativa de vitória era pequena, e a esperança do povo de Deus era obscura. Asa orou para que Deus estivesse com ele. "Asa clamou ao SENHOR, seu Deus: 'SENHOR, não há ninguém como tu para ajudar os fracos contra os poderosos. Ajuda-nos, ó SENHOR, ó nosso Deus, pois em ti pomos a nossa confiança, e em teu nome viemos contra este imenso exército. Ó SENHOR, tu és o nosso Deus; não deixes o homem prevalecer contra ti' " (2Crônicas 14.11).

Sabe o que Asa disse em suas orações? Os etíopes estavam atacando o povo de Deus, mas Asa concluiu que na verdade eles estavam atacando Deus. Observe que ele orou: "Não deixes o homem prevalecer contra ti!". Você está jejuando e orando por uma vitória espiritual. Esteja certo de que o objetivo último é o projeto de Deus, não seu projeto pessoal. Algumas vezes tentamos falar com Deus acerca dos projetos que intentamos fazer para ele. Mas, se projetar coisas com Deus é bom, existe algo melhor. É quando Deus determina um projeto para nós. É projeto dele. Quando você ora, está claro que você e Deus estão do mesmo lado. A ênfase não está em pedir a Deus que ajude você a vencer essa batalha. Não, essa é a ênfase errada. O correto é ter Deus a seu lado; é achegar-se ao lado de Deus.

Quando o objetivo de oração do jejum é objetivo de Deus, você pode orar com confiança, porque Deus o completará da maneira dele e no tempo dele.

## Meu período de oração

*Senhor, deixo este objetivo de oração aos teus pés. Isto é o que tu puseste em meu coração. Vou jejuar e orar até cumprir minha promessa. Senhor, tenho orado urgentemente sobre este objetivo. Agora, oro desesperadamente por uma resposta. Senhor, dá-me fé para crer em ti. "Creio, ajuda-me a vencer a minha incredulidade!"*

*Senhor, necessito de tua ajuda agora! Amém.*

## Minhas respostas de oração

______________________________________________

______________________________________________

______________________________________________

______________________________________________

______________________________________________

______________________________________________

Para sugestões de receitas, veja as páginas 217-231.

## ☙ 20º DIA ❧

# Oração de batalha espiritual

*Se como cristão você leva a sério suas tarefas pessoais e sociais, para dedicar-se à disciplina do jejum, pode esperar resistência, interferência e oposição. Prepare-se para isso, de forma que seja capaz de superá-las. Não seja surpreendido. Lembre-se de que você está tentando avançar em sua jornada espiritual e ganhar tal causa para o Reino. Para tanto, é preciso afastar-se do inimigo — e, quando não há grande movimentação do Espírito Santo, não há desafios por parte do inimigo.*

Elmer L. Towns

Eu estava no Haiti, na véspera de ano-novo, quando celebraríamos a chegada de 1978. Eu dormia na varanda de trás do missionário Bob Turnbull. Havia uma tremenda opressão demoníaca no país, e a véspera de ano-novo era o período mais intenso para tais manifestações.

Eu estava acordado à meia-noite, quando todas as igrejas balançavam seus sinos em Porto Príncipe e os navios atracados tocavam suas buzinas em conjunto com os automóveis. Havia sido avisado de que na virada do ano, exatamente à meia-noite, o Maligno se manifestava de maneira muito mais intensa que em qualquer outro momento do ano. Eu não estava muito atento a isso até que notei uma presença maligna na varanda, bem perto de mim.

Estando em batalha espiritual — em virtude da presença do mal —, orei em nome de Jesus e supliquei por seu sangue e sua proteção. Clamei em alta voz pelo poder da cruz e por segurança (pois, pelo fato de os demônios e o próprio Satã não poderem ler sua mente, é preciso orar em voz alta pelas coisas que você quer que eles ouçam). Então, na escuridão da meia-noite, comecei a cantar alto os hinos que falavam sobre o sangue de Jesus.

*O que pode lavar meu pecado?*
*Nada, senão o sangue de Jesus.*
*O que pode me recompor?*
*Nada, senão o sangue de Jesus.*

*Oh, preciosa é essa torrente*
*Que me faz branco como a neve!*
*Não conheço nenhuma outra fonte,*
*Nada, senão o sangue de Jesus.*[1]

Ganhei uma confiança tremenda sobre o sangue de Jesus Cristo, e isso me fez focar apenas Jesus, distanciando-me de qualquer mal que se fazia presente. Então, comecei a me perguntar: "Que outra canção haveria sobre o sangue de Jesus?".

*Há uma fonte cheia com o sangue*
*Proveniente das veias do Emanuel;*
*E os pecadores que são tomados por essa torrente;*
*Livram-se de todas as suas manchas*

*Livram-se de todas as suas manchas*
*Livram-se de todas as suas manchas;*

---

[1] Lowry, Robert. "Nothing but the Blood of Jesus" [Nada além do sangue de Jesus]. Disponível em: <http: /www.subversiveinfluence.com/wordpress/?p=1433>. Acesso em: 11 dez. 2008.

*E os pecados que são tomados por esta torrente*
*Livram-se de todas as suas manchas.*[2]

Cantei por um longo tempo, a ponto de esquecer onde estava e não pensar em meu problema imediato. Em minha imaginação retornei à cruz onde Jesus morreu por mim. Em meu coração adorei o Senhor. Então, comecei a cantar novamente:

*Quando mirei a velha cruz*
*Na qual o Príncipe da glória morreu,*
*Meu maior prêmio eu contei como perda*
*E não levei em conta todo o meu orgulho.*

*Não permita, Senhor, que eu me vanglorie,*
*Salva-me na morte de Cristo, Deus meu!*
*Todas as coisas vãs que mais me prendem,*
*Eu as sacrifico por seu sangue.*[3]

Há outro local nas Escrituras no qual podemos aprender os princípios da batalha espiritual. Moisés ficou em cima de um monte para ver a linha de guerra que se armava diante dele. O povo de Deus estava sendo atacado pelos amalequitas — uma nação maligna que lutou contra eles durante cerca de mil anos.

Não era uma batalha entre duas tribos nômades, nem era apenas espada contra espada, ou força bruta contra força bruta. Era Deus contra Satanás: o Reino da luz contra o reino das trevas.

---

2 Cowper, William. "There Is a Fountain Filled with Blood" [Há uma fonte preenchida com o sangue]. Disponível em: <http://www.cyberhymnal.org/htm/t/f/tfountfb.htm>. Acesso em: 11 dez. 2008.

3 Watts, Isaac. "When I Survey the Wondrous Cross" [Quando miro a maravilhosa cruz]. Disponível em: <http://www.cyberhymnal.org/htm/w/h/e/whenisur.htm>. Acesso em 11 dez. 2008.

Enquanto Moisés mantinha os braços erguidos em intercessão a Deus, os soldados de Deus ganhavam a batalha. Mas a batalha prosseguiu ao longo de todo o dia. "Enquanto Moisés mantinha as mãos erguidas, os israelitas venciam; quando, porém, as abaixava, os amalequitas venciam" (Êxodo17.11).

É claro que braços erguidos não são uma fórmula mágica para obter vitória. Aquelas mãos estendidas são hoje como um símbolo de nosso coração levantado para Deus. Quando o povo de Deus se vê diante de uma batalha espiritual, pode clamar pela vitória erguendo as mãos e o coração para Deus.

Enquanto você está no jejum, será tentado como nunca, provavelmente porque está tentando fazer algo que jamais fez. Você estará jejuando e orando por dez ou vinte e um dias por um projeto de fé.

Então, você poderá enfrentar 1) tentação para desistir, 2) dificuldades para concentrar sua mente em Deus quando começar a orar, 3) pensamentos prazerosos do passado, 4) um espírito de desencorajamento, 5) um pecado já ultrapassado, ou 6) qualquer outra atitude não cristã.

Então, boa parte de sua batalha espiritual não virá na forma de manifestação demoníaca extrema, obrigando-o a ter de expulsar um demônio ou lidar com manifestações sobrenaturais, ou pessoas claramente contrárias aos cristãos que atacam tanto você quanto seu ministério.[4]

A batalha de Israel contra os amalequitas foi uma revanche de hostilidade. Os judeus lutaram contra os amalequitas antes por direitos sobre águas no deserto, em tempos bem anteriores. Quando Moisés levou a multidão ao oásis de Horebe, o povo esperava por água.

---

4 Towns, Elmer. "The Esther Fast", **Fasting for Spiritual Breakthrough.** Ventura, CA: Regal, Books, 1996. p. 157-171.

Mas a água havia secado. A sede do povo se fez presente, e com ira ele começou a murmurar. Moisés clamou a Deus: "Que farei com este povo? Estão a ponto de apedrejar-me!" (Êxodo 17.4).

Deus, então, respondeu a Moisés: " 'Eu estarei à sua espera no alto da rocha do monte Horebe. Bata na rocha, e dela sairá água para o povo beber'. Assim fez Moisés, à vista das autoridades de Israel" (Êxodo 17.6)

Quando Moisés obedeceu, a água jorrou da rocha. O povo entendeu aquilo como uma vitória sobrenatural: "O Senhor está entre nós, ou não?" (Êxodo 17.7).

A água é mais preciosa que ouro para a pessoa que está sedenta, a ponto de morrer de sede. Por isso os amalequitas atacaram Israel a fim de obter os direitos sobre a água. Há um princípio aqui: quando obtemos uma grande vitória espiritual, fiquemos atentos! O inimigo pode estar preparando um contra-ataque.

Talvez você tenha experimentado uma grande vitória, ao reunir várias pessoas em um desafio espiritual de jejum e oração. Mas lembre-se de que reunir um grupo é apenas o início. Talvez você tenha considerado uma vitória pessoal ter mantido o jejum por quase vinte e um dias. Cuidado! A maldade amalequita pode estar preparando um ataque a fim de roubar de você a vitória completa neste jejum.

## A prática que auxilia a batalha espiritual

*Obtenha força com seus aliados.* A batalha de Êxodo 17 não foi ganha por um indivíduo. Josué, o general, e os soldados tiveram de lutar. Moisés foi o intercessor, e Arão, seu irmão, e Hur, seu cunhado, ajudaram-no a manter os braços levantados. Da mesma forma, lembre-se de que outros estão intercedendo com você por esse objetivo de fé. Peça que eles orem por necessidades especiais. Compartilhe com eles sua carga. "Pois nós somos cooperadores de Deus; vocês são lavoura de Deus e edifício de Deus" (1Coríntios 3.9).

*Lute de forma intensa contra as distrações e tentações.* Talvez você não feche os olhos enquanto ora. Mas, quando vocês os mantêm abertos, seja cuidadoso no sentido de não olhar para coisas que possam distrair sua atenção. Escreva suas orações conforme as expressa. Anote ou grife suas petições enquanto ora.

*Ore em voz alta de maneira que você possa focar seus objetivos.* Quando você pratica o exercício de juntar palavras de forma ativa, sua mente dificilmente divagará.

*Mude sua postura de oração.* Assim como Moisés ficou cansado (pois já estava velho), também seus músculos não permanecerão imóveis indefinidamente. Mude de posição, ajoelhe-se, fique em pé, caminhe, deite-se, prostre-se, sempre na presença do Senhor. Manter o corpo ativo ajuda a manter sua mente focada.

*Conheça seus pontos vulneráveis.* O inimigo conhece suas fraquezas e o tentará nesses pontos fracos. Então, não deixe que ele o pegue justamente aí. Escreva quais são seus pontos vulneráveis, esteja atento a eles, ore e fique vigilante a respeito.

*Ore contra o inimigo.* Alguns chamam isso de "resistir a Satanás, ou resistir ao inimigo". Quando você orar contra o inimigo, faça-o com precaução, pois o inimigo tem grande poder sobrenatural. Por outro lado, apoie-se no que Jesus disse "Foi-me dada toda a autoridade nos céus e na terra" (Mateus 28.18). Você se lembra da ilustração do início deste capítulo? Eu orei alto, clamando pelo poder do sangue de Cristo para que derrotasse o inimigo.

Quando Miguel, o arcanjo, estava em batalha de intercessão, como declara Judas 9, ele foi cuidadoso para não orar em confiança própria ou acreditando em sua própria habilidade. Sua resposta ao poder de Satanás foi "O Senhor o repreenda!".

*Esteja pronto para um contra-ataque contra qualquer sucesso que você tenha obtido em oração.* Paulo orienta os fiéis a que "orem continuamente" (1Tessalonicenses 5.17).

*Clame pela vitória que já é sua.* Deus tem prometido: "porque aquele que está em vocês é maior do que aquele que está no mundo" (1João 4.4).

## Meu período de oração

*Senhor, quero estar forte em tua força; ajuda-me em minhas fraquezas e a manter-me vigilante.*

*Senhor, a Bíblia diz: "Tudo posso naquele que me fortalece", portanto entrego minha fraqueza à tua força.*

*Senhor, muito obrigado pelas vitórias que obtive no passado; aprendo com elas e prossigo "de vitória em vitória". Amém.*

## Minhas respostas de oração

______________________________________________

______________________________________________

______________________________________________

______________________________________________

______________________________________________

______________________________________________

Para sugestões de receitas, veja as páginas 217-231.

## 21º DIA

# Permanecendo firme

*Jejuar é um princípio que Deus estabeleceu para que todos tenham prazer em realizar. Não se trata de autopunição, mas de um privilégio! Ao fazer do jejum um estilo de vida, você pode aproximar-se de Deus e crescer em sua caminhada espiritual como nunca. Jejuar é uma das mais poderosas armas que Deus nos deu para nossa vida diária. Por meio do jejum, você pode experimentar a libertação das amarras do pecado... restauração em seus relacionamentos... bênçãos financeiras.... renovação espiritual... cura sobrenatural e muitas outras coisas! Outra recompensa do jejum é com relação ao futuro. Deus deu a você uma visão, um sonho divino para sua vida. Quando você jejua, abre as bênçãos e oportunidades para que possa realizar esse sonho. À medida que jejua, ore pela direção e condução de Deus. Focalize sua fé em seu sonho e Deus mostrará como você poderá transformar sua visão em realidade. Comece entendendo qual é seu sonho hoje e faça que os privilégios do jejum se tornem parte de seu estilo de vida.*

Jentezen Franklin[1]

Os israelitas e filisteus estavam envolvidos em luta contínua, mas os filisteus haviam ganhado a batalha principal pelo controle da passagem de Micmás (v. 1Samuel 14.1-52). Saul era o rei, mas não

---

[1] Disponível em: <http://www.jentezenfranklin.org/fasting/>. Acesso em 31 ago. 2011.

fez nada com relação ao inimigo; ele se estabeleceu nas margens de Gibeá, a uma boa distância (v. 1Samuel 14.2).

Seu filho Jônatas desenvolveu um corajoso plano para derrotar o inimigo. Decidiu escalar os penhascos perto da passagem e lutar contra o inimigo. O ataque foi um ponto crucial da batalha, e com esse evento Israel obteve vitória. Jônatas criou um plano de ataque ousado. Iniciou sua estratégia pondo a confiança em Deus. E disse o seguinte a seu escudeiro: "Talvez o Senhor aja em nosso favor" (1Samuel 14.6). *Por que será que há tantos do lado oposto?*, eles pensaram. *Talvez Deus não trabalhe a nosso favor*, ou *será que estou fazendo alguma tolice?* Por que ficamos aflitos em apelar a Deus em uma situação difícil?

A estratégia de Jônatas se tornou a visão de todos os soldados de Israel, e eles venceram uma grande batalha. Então, conforme você continua a orar — até o último dia —, sua fidelidade em oração pode motivar outras pessoas a permanecerem fiéis. Juntos, todos vocês podem obter vitória. "Mas graças a Deus, que sempre nos conduz vitoriosamente em Cristo" (2Coríntios 2.14).

Seu voto de jejum não é apenas um sonho; é um caminho de possibilidades porque isso o motiva a uma oração contínua. Você, por sua vez, motivará Deus a agir em seu favor.

Talvez você tenha pensado: *Se eu orar durante um bom tempo e de forma intensa, Deus talvez faça algo a respeito.* Então, lembre-se das palavras de Jônatas: "Talvez o Senhor aja em nosso favor" (1Samuel 14.6).

Os olhos de Jônatas não estavam voltados para suas habilidades, nem para o fato de que ele lutava sozinho. Ele sabia que o número de guerreiros não era suficiente para a vitória, quando declarou: "pois nada pode impedir o Senhor de salvar, seja com muitos ou com poucos" (1Samuel 14.6). Jônatas sabia que poderia vencer no poder de Deus, ainda que ele fosse um só lutando contra muitos. Portanto, não é por sua habilidade de pregar, nem por sua habilidade de jejuar, que você obterá resposta a suas orações.

Olhe para as habilidades de Deus a fim de conquistar tudo quanto você apresenta em suas petições.

Tente imaginar Jônatas subindo aqueles penhascos, lutando contra um soldado filisteu após outro, chegando ao final do dia exausto, porém vitorioso. Foram vários os passos até que Jônatas conseguisse alcançar a vitória, e ele deu tudo de si para isso. Mas onde estava o pai de Jônatas, Saul? Ele era o rei. Deveria estar liderando o exército na batalha. Mas estava assentado na divisa de Gibeá, sem fazer nada. Você é um Jônatas ou um Saul? Se você não fizer nada, nada acontecerá.

Algumas vezes parece que obter vitória é inalcançável e que o inimigo é demasiadamente forte. Os filisteus se posicionavam em um local alto, o que geralmente é necessário para atacar o inimigo. Tudo estava contra Jônatas, mas Deus estava a seu lado (ou melhor, Jônatas estava ao lado de Deus); e ele liderou o povo de Deus à vitória.

Não sei como Jônatas sobreviveu, nem sei quanto tempo levou para que ele desenvolvesse todo esse plano, mas chega uma hora em que você precisa ir além da visão e agir. Chega um momento em que você precisa ir a público e dizer a todos que está jejuando por um objetivo de fé.

Veja, porém, o que aconteceu quando Jônatas foi a campo: seu escudeiro se juntou a ele para escalar os penhascos e derrotar os filisteus. Em vez de zombar de Jônatas ou se recusar a ir com ele, o escudeiro disse: "eu irei contigo" (1Samuel 14.7).

Então, há pessoas em sua igreja ou amigos de seu círculo de amizades que talvez queiram fazer algo para Deus. Mas talvez eles estejam esperando que você seja o "Jônatas". Talvez estejam esperando sua visão. Talvez estejam esperando por você para saírem a campo; todavia, você precisa envolvê-los no jejum e na oração pelo objetivo.

Assim, faça sua fé remover barreiras e montanhas. Não fique aflito em contar aos outros em favor de que você está jejuando e por que razão está orando por um objetivo de fé.

Mais uma coisa: você nunca estará completamente pronto a orar pelos dez ou vinte e um dias de jejum. Talvez orar por dez ou vinte e um dias seja o maior esforço que você já fez. Talvez você nunca tenha experimentado jejuar. Talvez pense que não tem educação o bastante, ou espiritualidade o suficiente, ou qualquer outra coisa. Mas uma pessoa — como Jônatas — pode liderar muitas outras para conquistar uma vitória por Deus. Qual o resultado? "Assim o Senhor concedeu vitória a Israel naquele dia" (1Samuel 14.23).

Não interrompa o jejum quando você está quase chegando ao final. Lembre-se: os desistentes nunca vencem e há bem poucas histórias sobre eles. Não há nada como atravessar a linha de chegada com a confiança interior de que você terminou aquilo em que se empenhou a fazer.

Mantenha seu compromisso original e esteja focado no momento. Cumpra uma tarefa por vez — concentre-se em cada momento —, um dia de cada vez, e sempre com o foco no objetivo final.

Para conseguir um diploma em qualquer faculdade, você deve cumprir tarefa e mais tarefa, frequentar as aulas dia após dia e fazer um exame de cada vez. Seja fiel a seu compromisso diário, e isso o levará ao sucesso no semestre. Então, dois semestres proporcionarão a você um ano de graduação. Faça a mesma coisa no segundo ano, e você terá dois anos de sucesso em seu histórico, e já terá vencido metade do caminho. Continue o processo, e você concluirá os quatro anos de faculdade. Mas o segredo é tornar cada momento bem-sucedido.

Ninguém ganha uma corrida apenas com uma largada veloz. Uma corrida se faz com um passo por vez, portanto aprenda a viver cada momento e permaneça fiel até alcançar o objetivo final.

Ninguém escreve um livro todo em uma penada, mas uma página por vez. Ninguém vence um campeonato mundial no primeiro jogo da temporada; é preciso ganhar um jogo de cada vez durante todo o campeonato. Ninguém vence um torneio de golfe com uma única tacada; é preciso concentrar-se em cada rodada e focar a tacada do momento.

A vitória é uma escolha; é cada arremesso no beisebol, cada aula que frequenta, cada passo na corrida. Hoje é o 21º dia de seu jejum: viva o agora. Assim, hoje, mais tarde, você alcançará seu objetivo.

A vitória é uma porta que você precisa abrir e atravessar para entrar no círculo da vitória.

## Meu período de oração

*Senhor, estou próximo de meu objetivo; manterei meus olhos focados até chegar ao final.*

*Senhor, levanta uma barreira de proteção (v. João 1.9) a minha volta, de maneira que nenhuma emergência ou ataque do Maligno me atrapalhe até a linha de chegada. Dá-nos aquilo pelo qual estamos jejuando.*

*Senhor, quero dar-te todo o crédito por me permitires finalizar este jejum. Por isso agora oro a ti para que sejas glorificado quando os outros ouvirem sobre este jejum. Amém.*

## Minhas respostas de oração

______________________________________________

______________________________________________

______________________________________________

______________________________________________

______________________________________________

______________________________________________

Para sugestões de receitas, veja as páginas 217-231.

SEÇÃO 3

# Apêndices

*Foi em 1994 que o Senhor realmente começou a lidar comigo sobre o jejum, de um modo novo e poderoso, e me deu alguns* insights *sobre o assunto. Em 5 de julho daquele ano, Deus me levou a iniciar um jejum de quarenta dias por um grande avivamento espiritual nos Estados Unidos e pelo cumprimento da Grande Comissão mundo afora. Também, no 20º dia de meu jejum, quando lia a Palavra de Deus, fui direcionado a enviar cartas para os grandes líderes do país e convidá-los a se reunirem conosco em Orlando, na Flórida, a fim de jejuarmos e orarmos juntos. Os convites logo estavam sendo postados. Eu estava orando e esperando que ao menos "300 Gideões" respondessem positivamente e se juntassem ao evento em dezembro, como planejado. Vieram mais de 600! Eles representavam uma parte significativa da liderança cristã dos Estados Unidos, das denominações, das igrejas e dos ministérios. Foram três dias maravilhosos de jejum, oração, confissão e unidade. Muitos dos líderes testemunharam que aquela estava sendo uma das maiores experiências espirituais de sua vida. Mas, antes que Deus se manifeste em um avivamento com poder, o Espírito Santo chamará milhões de cristãos a se arrependerem, jejuar e orar no mesmo espírito de 2Crônicas 7.14. Tenho orado para que Deus chame pelo menos 2 milhões de cristãos para jejuar e orar por quarenta dias a fim de que aconteça um grande avivamento.*

WILLIAM R. BRIGHT

❧ APÊNDICE A ❧

# Nove formas de jejum apresentadas nas Escrituras[1]

Para ilustrar melhor e revelar o significado das nove razões bíblicas para o jejum, escolhi nove personagens bíblicas cuja vida personifica o tema de forma literal ou figurada para cada um dos nove aspectos do jejum apresentados em Isaías 58.6-8. Cada jejum tem um nome diferente, visa a um propósito diferente e comporta uma prescrição diferente.

Não pretendo sugerir que essas são as únicas formas de jejum disponíveis ou que elas são totalmente independentes umas das outras. Nem quero sugerir que há apenas um tipo de jejum para um problema particular. Os jejuns aqui sugeridos são modelos a serem usados e ajustados conforme sua necessidade particular e seu desejo de aproximar-se de Deus.

O que segue é um breve esboço dos nove tipos de jejum encontrados na obra *Jejuando para crescimento espiritual*.

---

1 TOWNS, Elmer. **Fasting for Spiritual Breakthrough.** Ventura, CA: Regal Books, 1996. p. 20-23.

## 1. O jejum segundo os discípulos

*Propósito:* "O jejum que desejo não é este: soltar as correntes da injustiça, desatar as cordas do jugo, pôr em liberdade os oprimidos e romper todo jugo?" (Isaías 58.6) — libertar a nós mesmos e aos outros de vícios pecaminosos.

*Versículo-chave:* "Mas esta espécie só sai pela oração e pelo jejum" (Mateus 17.21)

*Contexto:* Jesus expulsou o demônio de um menino que os discípulos haviam falhado em ajudar. Aparentemente eles não levaram tão a sério a forma com que Satanás dominara o menino. A implicação está no fato de que os discípulos de Jesus poderiam executar esse exorcismo, caso estivessem sob uma disciplina de jejum. Os discípulos modernos também trazem à luz "pecados inoportunos" que poderiam ser afastados, caso forem sérios o suficiente para partilhar da prática de autonegação que é o jejum — daí o termo "jejum dos discípulos".

## 2. O jejum segundo Esdras

*Propósito:* "desatar as cordas do jugo" (Isaías 58.6) — resolver problemas, convidando o Espírito Santo a auxiliar e levantar as cargas, e ultrapassar as barreiras que nos atrapalham e a nossos entes queridos, sem que possamos caminhar livremente com nosso Senhor.

*Versículo-chave:* "Por isso jejuamos e suplicamos essa bênção ao nosso Deus, e ele nos atendeu" (Esdras 8.23).

*Contexto:* Esdras, o sacerdote, foi encarregado de voltar a Jerusalém para restaurar a Lei de Moisés entre os judeus à medida que eles reconstruíam a cidade santa de Jerusalém, por permissão de Artaxerxes, rei da Pérsia, onde o povo de Deus havia sido aprisionado. Apesar dessa permissão, os inimigos de Israel se opuseram a eles. Diante do constrangimento de ter de pedir ao rei da Pérsia um exército que os protegesse, Esdras jejuou e orou por proteção.

### 3. O jejum segundo Samuel

*Propósito:* "Pôr em liberdade [física e espiritual] os oprimidos" (Isaías 58.6) — para reavivamento e vitória espiritual, para identificação com todos os povos oprimidos literalmente ou presos por pecados diversos, e para ser usado por Deus a fim de livrar o povo do reino das trevas para a maravilhosa luz divina.

*Versículo-chave:* "Quando eles se reuniram em Mispá, tiraram água e a derramaram perante o SENHOR. Naquele dia jejuaram e ali disseram: 'Temos pecado contra o SENHOR' " (1Samuel 7.6).

*Contexto:* Samuel levou o povo de Deus a um jejum para celebrar o retorno da arca da aliança, a qual estava com os filisteus. Eles também se reuniram a fim de orar para que Israel fosse libertado do pecado que permitiu que a arca fosse capturada.

### 4. O jejum segundo Elias

*Propósito:* "desatar as cordas do jugo" (Isaías 58.6) — ter poder sobre os problemas emocionais e mentais ou os hábitos que querem controlar nossa vida.

*Versículo-chave:* "e entrou no deserto caminhando um dia [...]. Então ele se levantou, comeu e bebeu. Fortalecido com aquela comida, viajou quarenta dias e quarenta noites" (1Reis 19.4,8).

*Contexto:* Ainda que as Escrituras não chamem isso formalmente de "jejum", Elias ficou deliberadamente sem comer enquanto fugia da rainha Jezabel e de sua ameaça de matá-lo. Após essa abstinência autoimposta, Deus enviou um anjo para ministrar a Elias no deserto.

### 5. O jejum segundo a viúva

*Propósito:* "partilhar sua comida com o faminto" e cuidar do necessitado (Isaías 58.7) — conhecer as necessidades humanas de outros.

*Versículo-chave:* "Pois a farinha na vasilha não se acabou e o azeite na botija não se secou, conforme a palavra do Senhor proferida por Elias" (1Reis 17.16)

*Contexto:* Deus enviou o faminto profeta Elias a uma pobre e faminta viúva — ironicamente, a viúva pôde oferecer comida a Elias. Assim como a presença de Elias resultou em comida para a viúva de Sarepta, apresentar-nos diante de Deus em oração e jejum poderá prover a nossas necessidades humanas hoje.

### 6. O jejum segundo o apóstolo Paulo

*Propósito:* Permitir que a luz de Deus irrompa "como a alvorada" (Isaías 58.8) — trazer mais clareza e percepção nas decisões cruciais.

*Versículo-chave:* "Por três dias ele esteve cego, não comeu nem bebeu" (Atos 9.9).

*Contexto:* Saulo de Tarso, que passou a ser conhecido como Paulo após sua conversão a Cristo, foi atingido por uma cegueira pelo Senhor quando estava perseguindo os cristãos. Ele não apenas ficou cego de forma literal, mas também não tinha ideia sobre qual direção sua vida tomaria. Após ficar sem comer por três dias, Ananias, um cristão, visitou Paulo, e seus olhos foram restaurados, bem como sua visão quanto ao futuro.

### 7. O jejum segundo Daniel

*Propósito:* "prontamente surgirá a sua cura" (Isaías 58.8) — obter uma vida mais saudável ou a cura.

*Versículo-chave:* "Daniel, contudo, decidiu não se tornar impuro com a comida e com o vinho do rei, e pediu ao chefe dos oficiais permissão para se abster deles" (Daniel 1.8).

*Contexto:* Daniel e seus três amigos hebreus demonstraram no cativeiro babilônico que, por abstinência das comidas pagãs e uma alimentação saudável, eles poderiam ter mais saúde que qualquer outra pessoa da corte.

## 8. O jejum segundo João Batista

*Propósito:* "A sua retidão irá adiante de você" (Isaías 58.8). O testemunho e a influência de Jesus serão demonstrados diante de outros.

*Versículo-chave:* "Pois será grande diante do Senhor. Ele nunca tomará vinho nem bebida fermentada" (Lucas 1.15).

*Contexto:* João Batista, precursor de Jesus, manteve o voto de nazireu que requeria dele o "jejum", ou a abstinência de vinho e bebida forte. Seu jejum era parte de um estilo de vida que testificava aos outros que ele havia sido separado para uma missão especial.

## 9. O jejum pascal

*Propósito:* "a glória do SENHOR" (v. Isaías 58.8).

*Versículo-chave:* " 'Jejuem em meu favor. [...] Eu e minhas criadas jejuaremos como vocês. Depois disso irei ao rei. [...] Quando viu a rainha Ester ali no pátio, [o rei] teve misericórdia dela e estendeu-lhe o cetro de ouro" (Ester 4.16; 5.2).

*Contexto:* A rainha Ester, uma judia em uma corte pagã, arriscou sua vida para salvar seu povo de uma ameaça de destruição tramada por Hamã, o primeiro-ministro. Antes de aparecer em frente ao rei Xerxes para pedir que ele salvasse os judeus, Ester, seus criados e seu primo Mordecai, todos jejuaram para apelar a Deus por sua proteção.

## APÊNDICE B

# Seis modos de jejuar

Nove formas de jejum são descritas no livro *Jejuando para crescimento espiritual.* Nove estudos bíblicos que mostram várias formas de jejuns mostradas nas Escrituras, e os vários propósitos pelos quais o povo jejuava. Entretanto, há provavelmente tantos modos diferentes de jejuar em nossos dias quanto formas de orar — obviamente, não existe nenhum número definido em nenhum dos casos. Os seguintes seis modos de jejuar são um bom guia para seguir ou adaptar como direção de Deus.

1. O *jejum normativo* ou *jejum de líquido* é aquele que você segue ingerindo apenas líquidos (água ou suco). A duração pode ser de um dia, três dias, uma semana, um mês ou quarenta dias. Alguns cuidados devem ser tomados com jejuns muito longos, os quais devem apenas ser iniciados após aconselhamento médico.

2. No jejum total você não ingere comida nem água, mas esse deve ser realizado por um período curto de tempo. Moisés jejuou por quarenta dias, mas isso poderia matar qualquer pessoa se não houvesse uma intervenção sobrenatural, e nunca deve ser tentado nos dias de hoje. Ninguém deve tentar um jejum absoluto por mais de três dias. Uma pessoa morre se ficar

mais de sete dias sem beber água. A porcentagem de água do corpo é em média de 80%, e precisa ser reposta regularmente. Tenha muito cuidado e faça prova se algum espírito o tentar a fazer um jejum de quarenta dias que não inclua líquidos.

3. O jejum segundo Daniel, também chamado de *jejum parcial*, exclui certos alimentos da dieta segundo uma escala de alimentação. Pode consistir em pular uma refeição por dia. Comer apenas vegetais frescos por alguns dias também é um ótimo jejum parcial. Elias praticou esse tipo de jejum pelo menos duas vezes. João Batista e Daniel, com seus três amigos, são outros exemplos de pessoas que participaram de um jejum parcial. Pessoas com hipoglicemia ou outras doenças devem evitar esse tipo de jejum.

4. *Um jejum rotativo*, também chamado *jejum clínico*, consiste em comer ou omitir certas famílias de alimentos por determinado período. Por exemplo, uma pessoa faz um jejum absoluto por um dia a fim de limpar seu sistema digestivo. Então, na próxima semana, come alimento apenas de um grupo alimentar. As várias famílias de alimentos muitas vezes são o que determina qual doença pode ser atribuída a certo tipo de alimentação.

5. *O jejum de John Wesley* foi praticado por Wesley, fundador do metodismo, antes da Conferência Metodista em que os ministros se reuniram para discussão, avivamento e preparação de um ministério contínuo. Wesley e os outros líderes jejuaram por dez dias antes da conferência com apenas pão e água, para se prepararem espiritualmente, de maneira que puderam exortar os demais pastores.

6. *O jejum sobrenatural*. "Moisés ficou ali com o SENHOR quarenta dias e quarenta noites, sem comer pão e sem beber água.

E escreveu nas tábuas as palavras da aliança: os Dez Mandamentos" (Êxodo 34.28); aparentemente, Moisés passou dois períodos distintos de quarenta dias jejuando na montanha, orando e recebendo os mandamentos de Deus. Os dois jejuns foram separados por alguns dias, quando, então, o povo fez o bezerro de ouro, isto é, um falso deus (v. Deuteronômio 9.9,18,25). Deus fez um milagre sobrenatural para Moisés nesses jejuns, uma vez que uma pessoa normalmente morreria por ficar sem água por mais de sete dias. Ninguém deve ficar sem beber água durante quarenta dias de um jejum.[1]

---

1 TOWNS, Elmer. **Fasting for Spiritual Breakthrough.** Ventura, CA: Regal Books, 1996. p. 23-24.

# APÊNDICE C

# Receitas para usar durante o jejum

John P. Perkins

*Chefe-executivo e diretor da Fundação*

*John M. e Vera Mae Perkins*

Quando você está focado em realizar o jejum segundo Daniel e decide abster-se de alguns alimentos, precisa ter certeza de que está ingerindo proteína suficiente em sua dieta. Você precisa de apenas 15% de proteína em sua dieta, e há algumas formas de garantir tal quantidade. Uma delas é alimentar-se com legumes, e por essa razão comer ervilhas e feijão será muito importante durante seu jejum. Nas páginas seguintes, apresento algumas receitas que você pode usar para obter a quantidade necessária de legumes durante seu jejum.

### A esperança de João (ervilhas pretas)

½ quilo de ervilha preta, em lata ou congelada

1 cebola grande picada

1 tomate picado

500 gramas de vegetais em conserva

250 gramas ou uma xícara de quiabo picado, fresco ou congelado
Sal e pimenta a gosto

Aqueça os vegetais em água e adicione a ervilha e a cebola. Ferva em fogo brando por 1 hora e 15 minutos. Adicione o tomate depois que a ervilha tiver cozinhado por 45 minutos. Tempere com sal e pimenta a gosto, adicione ½ xícara de quiabo e cozinhe por mais 15 minutos. Sirva com uma porção de arroz branco (cozido por 18 a 20 minutos) ou parboilizado (cozido por 10 a 12 minutos).

### O clássico arroz com feijão branco

½ quilo de feijão vermelho seco
1 cebola grande picada
2 pimentões picados
2 colheres de sopa de alho picado
½ ramo de salsão picadinho
¼ xícara de molho madeira
¼ xícara de açúcar mascavo
½ quilo de vegetais em conserva
Sal e pimenta ou tempero pronto a gosto

Cozinhe os ingredientes por 1 hora e 20 minutos. Adicione sal e pimenta, ou tempero pronto a gosto, e cozinhe em fogo brando por 15 minutos. Sirva com uma porção de arroz branco (cozido em fogo brando de 18 a 20 minutos) ou parboilizado (cozido por 10 ou 12 minutos).

### Sopa de feijão preto

½ quilo de feijão preto, seco ou em lata
1 cebola pequena picada
2 pimentões cortados em pedaços pequenos
2 colheres de sopa de alho picado
1 ramo de salsão cortado em pequenos pedaços

1 tomate picado
1 colher de sopa de azeite
1 colher de sopa de tempero italiano
½ colher de sopa de cominho
2 ½ latas de vegetais em conserva
Sal e pimenta ou tempero salgado a gosto

Refogue a cebola, o pimentão, o alho, o salsão e o tomate pequeno e adicione o azeite até que fiquem dourados. Adicione essa mistura ao feijão preto e aos vegetais em conserva e por fim acrescente o tempero italiano com o cominho. Leve ao fogo e deixe o feijão cozinhar em fogo brando por 1 hora e 20 minutos. Adicione sal e tempero a gosto e deixe em fogo brando por mais 15 minutos.

### Granola caseira

100 gramas de semente de gergelim
100 gramas de amêndoas ou nozes
250 gramas de aveia
150 gramas de caju
100 gramas de mel
100 gramas de *cramberries* ou uvas-passas

Toste o gergelim em uma frigideira até dourar. Coloque em uma tigela separada. Na mesma frigideira, toste as amêndoas ou as nozes até dourarem. Adicione um pouco de gergelim e continue tostando até que tome uma cor única. Adicione a aveia e o caju à frigideira e continue a tostar, mexendo até alcançarem uma cor única.

Adicione todo o restante do gergelim e o mel à frigideira. Mantenha no fogo até todos os ingredientes estarem tomados pelo mel. Retire a panela do fogo e misture com os *cramberries* ou as uvas-passas. Esparrame tudo em uma assadeira com uma folha de papel-alumínio ao fundo. Asse no forno a 180° até tomar uma cor marrom (cerca de 15 minutos). Deixe a granola esfriando e, então, corte-a em pedaços.

Guarde em algum local seco. (Nota: Diferentemente de muitos outros cereais, a aveia mantém a maior parte de seus elementos nutricionais após todo esse processo. Você deve ingerir esta receita com moderação; ela será uma rápida refeição, mas altamente calórica!)

### Pavê de iogurte com baunilha e mel

1 porção de iogurte de baunilha
100 gramas de mel
200 gramas de banana fatiada
200 gramas de morango
150 gramas de maçã cozida
200 gramas de granola
Alguns ramos de hortelã (se desejar)

Este é um bom complemento para a receita de granola caseira e, quando acompanhado com frutas, fica formidável. Comece misturando o mel com o iogurte de baunilha. Coloque as frutas em uma tigela separada e misture todas; mantenha-as refrigeradas. Coloque uma pequena camada de granola em uma tigela ou taça. Disponha uma pequena camada de iogurte sobre a granola e depois uma pequena camada de frutas (banana, morango e a maçã cozida) sobre o iogurte. Repita esse processo até que a tigela esteja cheia. Enfeite com a granola e adicione uma pitada de hortelã se desejar.

### Faixas de vegetais de Daniel

2 colheres de sopa de azeite
1 colher de sopa de alho
200 gramas de cebola
400 gramas de pimentão vermelho
400 gramas de pimentão amarelo
400 gramas de pimentão verde
450 gramas de repolho

400 gramas de feijão vermelho cozido
100 gramas de molho de pimenta
18 panquecas

Esquente o azeite em uma vasilha larga. Adicione cebola e alho. Doure-os até tomarem cor. Adicione a pimenta e o repolho e frite levemente até corarem (adicione uma colher de água, se necessário, para dar textura ao repolho frito — é preciso mexer o tempo todo). Misture o feijão com o molho e deixe no fogo apenas para manter-se quente. Cubra as panquecas com toalhinhas úmidas e leve ao forno a 100º. Envolva a mistura de vegetais com as panquecas aquecidas. (Nota: Geralmente escolho esta receita por ela ser saudável, e aqueles que gostam da cozinha mexicana apreciarão mais ainda. Pimentão é uma grande fonte de vitamina A, B e C e contém ácido fólico, que as mulheres grávidas precisam de forma especial durante a gestação.)

### Vegetais grelhados

400 gramas de abóbora amarela fatiada bem fina ou em rodelas
30 gramas de abobrinha cortada em fatias finas ou em rodelas
20 gramas de cebola amarela ou vermelha cortada em quatro pedaços
20 gramas de pimentão verde picado
20 gramas de pimentão vermelho picado
20 gramas de cogumelos cortados no meio
10 gramas de molho vinagrete

Para esta receita, você precisará de uma grelha. Grelhar é uma das coisas que mais gosto de fazer como "mestre-cuca", e os vegetais ficam com um sabor muito bom quando grelhados. Para esta receita, é preciso primeiro misturar todos os vegetais em um molho vinagrete (deixe curtir) por 30 minutos. Então, grelhe os vegetais por 2 minutos de cada lado (ou em um *grill* rolante). Você também pode adicionar berinjela, tomates e outros vegetais.

### Salada de arroz integral

1 colher de sopa de azeite
200 gramas de milho
200 gramas de cogumelos picados
2 tomates cortados em pedaços grandes
100 gramas de feijão ou pasta de ervilhas
Uma porção de arroz integral (cozido)
50 gramas de vegetais em conserva
1 porção de cebolinha picada

Aqueça o azeite em uma frigideira. Adicione o milho e os cogumelos dourando levemente. Adicione o tomate, o feijão ou a pasta de ervilhas, o arroz, os vegetais em conserva, a cebolinha e sal e pimenta a gosto. Misture todos os ingredientes e leve ao fogo baixo. (Nota: Cozido com milho, cogumelo, tomate, pasta de ervilha ou feijão e arroz, é uma grande combinação. Trata-se de um prato de sobras que pode aproveitar o milho ou o arroz usado em outra refeição. Toda mãe do mundo precisa desta receita!)

### Milho assado e feijão preto

1 colher de sopa de azeite
30 gramas de cebola cortada
2 dentes de alhos picados
250 gramas de milho assado debulhado
200 gramas de feijão preto seco cozido
1 tomate cortado
1 colher de sopa de suco de limão
Sal e pimenta a gosto
2 colheres de sopa de salsa picada
1 colher de sopa de coentro

Aqueça o azeite em uma vasilha larga. Acrescente a cebola e o alho e deixe-os corar. Adicione o milho, o feijão, o tomate, o suco de limão e sal e pimenta a gosto. Deixe sobre fogo alto até que a mistura esteja quente. Remova do fogo e adicione o coentro e a salsinha.

(**Nota:** Este prato é versátil e dá uma grande porção, mas também pode ser servido como entrada.)

## Cevada Pilaf

200 gramas de cebola picada
1 colher de sopa de alho picado
1 porção de vegetais em conserva
1 quilo de cevada
2 folhas de louro
1 colher de sopa de tempero italiano

Em uma panela, refogue a cebola e o alho com 500 gramas de vegetais em conserva até que as cebolas estejam coradas. Adicione a cevada, as folhas de louro, o tempero italiano e o restante dos vegetais em conserva. Espere ferver e tampe bem a panela. Leve ao forno por 45 minutos em 180º ou ao fogo por 12 ou 15 minutos até que o guisado tenha absorvido todo o líquido e a cevada esteja concisa. Misture com as ervas apenas na hora de servir. (Nota: Você pode transformar este guisado em um guisado de cevada com nozes adicionando 100 gramas de nozes cortadas e torradas antes que ele vá ao fogo. Depois que o guisado for ao fogo, acrescente outros 100 gramas de nozes cortadas.)

## Arroz Pilaf básico

250 gramas de cebola amarela cortada
100 gramas de salsa
2 colheres de sopa de margarina
350 gramas de arroz branco
1 porção de vegetais em conserva
200 gramas de brócolis
250 gramas de cenoura em pedaços
Sal e pimenta a gosto

Aqueça a cebola e a salsa em uma colher de margarina até que fiquem coradas. Adicione o arroz e misture com a cebola e a salsa. Adicione os vegetais. Cozinhe o arroz no forno a 180º por 40 minutos, ou cozinhe no fogo até que o arroz esteja denso, porém não totalmente cozido (cerca de 12 a 15 minutos). Adicione os brócolis e a cenoura e deixe no fogo até que o arroz e os vegetais estejam cozidos completamente. Acrescente 1 colher de sopa de margarina e sal e pimenta a gosto. (Nota: Esta é minha variação sulista do clássico prato francês conhecido como Arroz Pilaf, correspondendo também à Cevada Pilaf apresentada anteriormente. Ambos são pratos formidáveis e merecem fazer parte de seu repertório.)

### Cevada refogada

100 gramas de pimentão cortado
100 gramas de cebola chalota
50 gramas de cenoura cortada
60 gramas de salsão cortado
2 ½ colheres de sopa de azeite
500 gramas de cevada refogada
½ colher de sopa de timo ou condimento fresco.

Em uma panela com azeite, coloque o pimentão, a cebola, a cenoura e o salsão e frite até corarem. Adicione a cevada refogada e o timo e misture até que estejam bem refogados. (Nota: Esta é minha receita favorita para este tipo de jejum. Trata-se de uma adição na receita anterior do Cevada Pilaf. São receitas como esta que possibilitam que você use as sobras de comida, mantenha baixo os custos da refeição e economize dinheiro no final. Fazer dieta é caro, e temos de ser bons administradores de nossos recursos.)

### Batatas Rösti com salsão

600 gramas de batata
600 gramas de salsão

1 colher de sopa de mostarda

½ colher de sopa de tempero grego

1½ colher de sopa de azeite

Descasque e gratine as batatas e o salsão. Combine a batata gratinada e o salsão com a mostarda e o tempero. Forme uma porção de 20 pedaços menores ou 10 pedaços maiores. Esquente azeite o suficiente para a fritura não grudar na panela. Frite levemente os pedaços até dourarem de ambos os lados. Finalize assando os pedaços em um forno a 250º até a batata ficar bem assada (cerca de 5 minutos).

## *Waffles* de Daniel

1 lata de leite desnatado

3 ovos inteiros

100 mililitros de óleo vegetal

250 gramas de farinha de trigo

150 gramas de aveia

100 gramas de farinha de aveia

2 colheres de farinha de rosca

300 gramas de açúcar

9 claras de ovo

Misture o leite, os ovos e o óleo vegetal em uma tigela larga. Combine todos os ingredientes secos (a farinha de trigo, a aveia, a farinha de aveia, a farinha de rosca e o açúcar) em uma tigela separada. Acrescente todos os ingredientes líquidos e misture até ficar encorpado. Bata as claras em neve e, então, misture tudo na batedeira. Preencha uma assadeira para o *waffle* com óleo vegetal. Espalhe todo o *waffle* na assadeira e leve ao forno até que assuma uma cor marrom (cerca de 3 minutos). Sirva imediatamente. (Nota: com cobertura de calda de frutas, esta receita é um verdadeiro banquete para o jejum.)

### Cevada e cereais sortidos (Pilaf)

80 gramas de grãos de trigo
450 gramas de vegetais em conserva
2 colheres de margarina vegetal
30 gramas de alho-poró
60 gramas de cenoura
15 gramas de aipo
2 colheres de cebola vermelha picada
2 colheres de alho picado
200 gramas de cevada pérola
150 mililitros de suco de uva branco
Sal e pimenta a gosto
200 gramas de espinafre cortado

Deixe os cereais em um recipiente com água (3 vezes mais que a medida dos cereais) de 8 a 10 horas. Retire os cereais e combine-os com os vegetais em conserva. Tampe e ferva em fogo brando até amolecer (cerca de 1 hora). Adicione o alho-poró, a cenoura, o aipo, o alho e a cebola. Deixe no fogo até que os vegetais fiquem tenros. Adicione a cevada, o suco de uva, sal e pimenta e todo o trigo restante. Deixe ferver e cubra a panela levemente. Cozinhe em fogo forte ou no forno até que a cevada esteja bem cozida e tenha absorvido todo o líquido (cerca de 45 minutos). Cozinhe o espinafre em água com pouco sal até que esteja bem amolecido. Seque bem. Misture os cereais, a cevada e o espinafre e sirva.

### Torta de vegetais

450 gramas de vegetais sortidos
200 gramas de milho cozido
200 gramas de brócolis
400 gramas de creme de aipo
2 massas prontas de torta americana (tigela funda)

Esta receita em geral é a preferida da família. Misture em uma tigela os vegetais com o milho, o brócolis e o creme de aipo. Preencha as massas de torta preparada. Junte as partes e dobre os encontros, criando ventosas para os vegetais soltarem vapor e para que a torta possa assar de forma proporcional. Coloque no forno e asse por 50 minutos a 180º. Sirva com molho *cramberry*.

## Arroz carreteiro vegetariano

100 gramas de feijão seco

50 gramas de cebola picada

2 dentes de alho picados

450 gramas de vegetais em conserva

200 gramas de arroz agulhinha

1 colher de sopa de molho de tomate

1 colher de sopa de vinagre

2 colheres de sopa de pimentão frito triturado

1 colher de chá de pimenta-do-reino

1 colher de sopa de tempero grego

1 colher de sopa de pimenta

1 colher de sopa de páprica

1 colher de chá de pimenta malagueta

100 gramas de queijo *cheddar*

150 gramas de milho assado

Este prato poderoso é bom para os idosos e cai muito bem em tempos de jejum. Primeiro, cozinhe o feijão. Retire o caldo, amasse com um garfo e mantenha em conserva. Em um caldeirão médio, refogue levemente apenas metade da cebola e do alho. Adicione o arroz e refogue rapidamente. Acrescente o restante do tempero, o molho de tomate, o vinagre, o pimentão e o tempero grego, a pimenta-do-reino, a páprica e a pimenta malagueta. Coloque no fogo para cozinhar em água até ferver. Leve ao forno a 180º até que o arroz tenha absorvido toda a água (cerca de 18 minutos). Misture o feijão amassado, o queijo e o milho, tudo com o arroz.

### Hambúrgueres vegetais

250 gramas de cenoura picada
50 gramas de salsão gratinado
50 gramas de cebola gratinada
25 gramas de pimenta vermelha picada
120 gramas de cogumelo branco picado
120 gramas de cebolinha picada
120 gramas de nozes trituradas
1 ovo batido
½ colher de sopa de salsinha
½ colher de sopa de timo picado
1 colher de sopa de alho picado
1 colher de sopa de sal
½ colher de sopa de molho de pimenta (tabasco)
½ colher de sopa de óleo de gergelim
1 colher de chá de pimenta-do-reino
300 gramas de bolacha triturada

Eu não poderia escrever estas receitas de jejum sem mencionar um hambúrguer. Existem vários tipos de hambúrgueres vegetais — a única diferença é que este aqui é muito saboroso! Primeiro, coloque a cenoura, a salsa, a cebola e a pimenta dentro de uma peneira e pressione para tirar o excesso de água. Coloque toda essa mistura em uma tigela grande e adicione os cogumelos, a cebolinha, a nozes, o ovo, a salsa, o sal e o molho de pimenta, o óleo de gergelim e a pimenta-do-reino. Misture bem. Adicione a bolacha o suficiente para formar uma mistura densa, fazendo uma massa de cerca de 120 gramas. Envolva cada pedaço em bolacha adicional, caso desejar. Asse cada peça em uma assadeira forrada com papel-alumínio e leve ao forno em 250º até estar suficientemente assada (cerca de 10 minutos).

### Sopa engrossada com cogumelo

2 colheres de sopa de margarina
120 gramas de cebola picada
50 gramas de aipo
1 colher de sopa de alho picado
30 gramas de maisena ou amido de milho
1 porção de vegetais em conserva
120 gramas de batata, descascada e cortada em quatro
200 gramas de leite desnatado
2 colheres de creme de leite
200 mililitros de suco de uva
450 gramas de cogumelo (sem o ramo)
150 gramas de cogumelo em conserva
Sal e pimenta a gosto

Você não se arrependerá de preparar esta sopa! Comece esquentando a margarina em um caldeirão grande. Adicione a cebola, o aipo e o alho. Deixe fritar levemente até corar. Misture a maisena o suficiente para formar uma textura. Adicione a água dos vegetais em conserva e deixe cozinhar em fogo brando. Acrescente mais água e continue em fogo brando até ficar denso. Coloque a batata e continue em fogo brando, até que ela esteja bem mole (cerca de 15 minutos). Remova a caldeirão do fogo e adicione o leite, o creme de leite, o suco de uva, o sal e a pimenta. Em uma frigideira larga, frite os cogumelos. Adicione-os à sopa e sirva-se.

### Salada de frutas tropicais

500 gramas de manga descascada e picada
250 gramas de papaia cortado e picado
150 gramas de pimentão cortado em pedaços pequenos
100 gramas de cebola vermelha picada
100 gramas de coentro
1 colher de sopa de suco de limão
1 colher de sopa de pimenta jalapeño
2 colheres de sopa de azeite
Sal e pimenta a gosto

Misturar todos os ingredientes e deixar curtir por uma hora antes de servir (colocar no refrigerador, caso não for servir imediatamente). Nota: Para preparar este prato para sobremesa ou *brunch*,[1] pode-se substituir o coentro por hortelã, usar morangos em vez de pimenta, e cebola e mel em vez de azeite. Você pode também usar melão e abacaxi em vez de papaia e manga.

### Feijão preto e pão de milho

2 colheres de óleo de milho
200 gramas de cebola picada
200 gramas de pimenta vermelha
200 gramas de alho granulado
400 gramas de feijão preto cozido
150 gramas de tomate
2½ colheres de coentro picado

---

1 *Brunch = breakfeast + lunch.* Combinação de café da manhã e almoço servida entre 10 horas e 11h30 nos Estados Unidos. [N. do T.]

1 colher de chá de molho tabasco
1 porção de vegetais em conserva
1 colher de sopa de sal
1 colher de chá de pimenta-do-reino
250 gramas de fubá
60 gramas de farinha de trigo

Esquente o azeite de milho em uma frigideira grande. Adicione as cebolas, a pimenta vermelha e o alho e refogue até pegarem cor. Remova do fogo e misture com o feijão, o tomate, o coentro e o molho tabasco. Aqueça em uma frigideira os vegetais em conserva, com sal e pimenta. Acrescente o fubá lentamente. Reduza a fogo e deixe cozinhar, mexendo o tempo todo, até que a mistura comece a desgrudar da panela. Espalhe um pouco do óleo sobre os pães e coloque-os em uma panela. Deixe no refrigerador de 8 a 10 horas. Quando estiver pronto, retire os pães e corte em 15 pedaços iguais. Fatie cada pedaço em diagonal e faça triângulos. Deixe 2 triângulos para cada porção, espargindo com óleo e levando ao fogo em uma frigideira até dourarem.

Esta obra foi composta em *Minion Pro*
e impressa por Imprensa da Fé sobre papel
*Offset* 70 g/m² para Editora vida.